# PARAÍSO PORTÁTIL

## Mario Bencastro

Arte Público Press
Houston, Texas

*Paraíso portátil / Portable Paradise* is made possible through grants from the City of Houston through the Houston Arts Alliance and the Exemplar Program, a program of Americans for the Arts in collaboration with the LarsonAllen Public Services Group, funded by the Ford Foundation.

*Recovering the past, creating the future*

Arte Público Press
University of Houston
452 Cullen Performance Hall
Houston, Texas 77204-2004

Cover art by Alfredo Arreguín, "La Push, 1981"
Cover design by Gary Bernal

Bencastro, Mario
    Paraíso portátil / por Mario Bencastro ; traducción al inglés de John Pluecker = Portable Paradise / by Mario Bencastro ; English translation by John Pluecker.
    p.  cm.
    ISBN 978-1-55885-516-8 (alk. paper)
    I. Pluecker, John, 1979- II. Title III. Title: Portable Paradise.
PQ7539.2.B46B46  2010
863'.64—dc22

                                                          2010000600
                                                          CIP

♾ The paper used in this publication meets the requirements of the American National Standard for Information Sciences—Permanence of Paper for Printed Library Materials, ANSI Z39.48-1984.

10 11 12 13 14 15 16          10 9 8 7 6 5 4 3 2 1

# PARAÍSO PORTÁTIL

3 3 3

# PORTABLE PARADISE

# Sobre el autor

MARIO BENCASTRO (Ahuachapán, El Salvador, 1949) es autor de obras premiadas publicadas en México, El Salvador, Haití, Canadá, Estados Unidos y la India, y traducidas al inglés, francés y alemán.

Obras publicadas incluyen: *Disparo en la catedral* (Arte Público Press, 1996; Diana, México 1990), finalista del Premio Internacional Novedades y Diana, México, 1989; *Árbol de la vida: historias de la guerra civil* (Arte Público Press, 1997; Clásicos Roxsil, El Salvador 1993); *Odisea del Norte* (Arte Público Press, 1999; Sanbun, Nueva Delhi, 1999); *Viaje a la tierra del abuelo* (Arte Público Press, 2004).

Los relatos de Mario Bencastro han sido seleccionados para antologías como *Where Angels Glide at Dawn* (HarperCollins, 1990), *Turning Points* (Nelson, 1993), *Texto y vida: Introducción a la literatura hispanoamericana* (Hartcourt Brace Jovanovich, Tejas, 1992), *Antología 3x5 mundos: Cuentos salvadoreños 1962-1992* (UCA Editores, San Salvador, 1994), *Hispanic Cultural Review* (Universidad George Mason, Virginia, 1994), *Vistas y voces latinas* (Prentice Hall, 2001), *En otra voz: Antología de la literatura hispana de los Estados Unidos* (Arte Público Press, 2002), *Herencia—The Anthology of Hispanic Literature of the United States* (Oxford University Press, 2002).

Para más información sobre el autor, visite www.mariobencastro.org.

# Arizona

Los inmigrantes caídos
son seres sin rostro
sus nombres se los lleva el viento
sus sueños el río
sus cuerpos el desierto.

¿Cuántos Josés han fallecido?
¿Cuántas Marías?
¿Cuántos Juanitos?

La siniestra cifra de su muerte
no asusta a las estadísticas
no sorprende a la humanidad
no desborda ni una lágrima
de los fríos ojos del mundo.

A nadie conmueve el heroísmo
de hombres, mujeres,
ancianos y niños
cuyo único pecado fue soñar
en cruzar una frontera
un muro, un desierto, un río, un mar
en busca de la tierra prometida
y no encontrarla
sino en el más allá.

# La viuda de Immokalee

LA VIDA DEL INMIGRANTE se presentaba difícil y a veces extraña en aquel lugar llamado Immokalee, situado no muy lejos de Miami, fundado en 1873 y en un tiempo habitado por los indios semínolas, en cuyo idioma significa "mi hogar", nombre en verdad irónico porque, rodeado de extensos cultivos, de hogar tenía muy poco, o nada, al menos para Medardo quien, como miles de jornaleros, había venido a trabajar en la "pizca", la temporada de recolección de legumbres y cítricos.

Durante el candente verano de Florida, Immokalee parece un pueblo fantasma, pero en el tiempo de la cosecha experimenta una transformación, abandona su somnolencia y se nutre de la vida que con su energía y hambre de dólares le inyectan miles de inmigrantes originarios de México, Centro América y Haití que laboran en los vastos sembradíos durante el día, y que en la noche y los fines de semana abarrotan las calles, las tiendas y las cantinas. Entonces la aldea es otra, y los habitantes ponen en juego sus habilidades, virtudes y vicios.

La inmensa plaga de jornaleros que ese año invadió a Immokalee creó una alta escasez de viviendas y lugares de albergue. Los que llegaron temprano y con suerte, lograron alquilar casas móviles de un dormitorio, una pequeña cocina y un baño. Aunque usualmente estos alojamientos están derruidos y desprovistos de aire acondicionado y alumbrado eléctrico, el costo del arrendamiento es exorbitante, a veces hasta de 400 dólares a la semana, que el inquilino logra pagar alquilando espacios para dormir en el piso a diez o doce personas.

Medardo fue uno de los muchos que no logró alojamiento, ni barato ni caro, por lo que se vio obligado a dormir en la calle y a veces en medio de los sembradíos de la granja en que trabajaba, donde su cuerpo era festín de los voraces y abundantes zancudos.

Su fortuna cambió semanas después, la noche de un sábado en una concurrida cantina, cuando por casualidad se encontró con un antiguo amigo que conoció en una empacadora de carne de cerdo, no recuerda si en Oregón o en Iowa, quien, al escuchar las desdichas de Medardo le recomendó visitar a doña Eduviges, una viuda que alquilaba habitaciones en su casa, que posiblemente tuviera espacio disponible.

Tan crítica era su necesidad de dormir en paz, que Medardo escribió la dirección y de inmediato se lanzó a la calle en busca del domicilio indicado, el cual no estaba lejos de la cantina y lo encontró sin mucho trabajo. Aunque ya eran pasadas las once de la noche, se llenó de fuerzas para llamar a la puerta con toques discretos.

Para su gran alivio, se encendió la luz de la entrada. Una mujer en bata abrió un poco la puerta y le preguntó qué buscaba. Medardo manifestó su deseo. Ella, con sus grandes ojos examinó al muchacho de pies a cabeza, y le permitió entrar.

Por experiencia, la mujer sabía muy bien que aquel forastero venía dispuesto a pagar un buen precio por el alojamiento, pero antes de concedérselo le pidió una serie de datos para estar segura de que se trataba de una persona honrada, tales como nombre completo, país de origen, trabajo, salario y referencias. Mientras el muchacho contestaba sus preguntas ella lo examinaba minuciosamente, como si estuviera midiéndole el cuerpo y sus extremidades, lo cual no dejaba de causar en Medardo cierta incomodidad.

Una vez que estuvo satisfecha con la información proveída, doña Eduviges explicó que la casa tenía sus reglas y que los inquilinos debían someterse a ellas y seguirlas al pie de la letra. Quiso saber si él le comprendía y si estaba dispuesto a obedecerlas. El muchacho asintió afirmativamente aunque aquella curiosa mujer no le había explicado el reglamento, pues estaba dispuesto a seguirlo, cualquiera que fuese.

Doña Eduviges lo condujo por un pasillo, abrió una puerta y le mostró un cuarto reducido, casi del tamaño de un closet, en cuyo piso estaba dispuesto un colchón. Cuando Medardo escuchó el precio del alquiler no lo pudo creer, pues era el triple de lo que cobraban en una casa móvil por un espacio equivalente, pero la necesidad de dormir con tranquilidad era superior y estuvo de acuerdo con pagar aquel alto costo semanal, el cual, estipuló doña Eduviges, debía cancelarse en aquel momento, con un mes por adelantado, si él deseaba empezar a dormir allí esa misma noche.

Medardo extrajo un fajo de dólares y extendió a la mujer el dinero convenido. Ella le indicó que el baño estaba al final del pasillo y se alejó. Él decidió darse una ducha, la que resultó muy refrescante y le tranquilizó los nervios.

Por fin podría dormir a gusto. Abrió su inseparable mochila y empezó a extraer sus pocas pertenencias para situarlas cerca de la pared: Un cambio de ropa, un calzoncillo y un par de calcetines; un pequeño depósito de cristal que contenía una onza de tierra; un escapulario de San Cristóbal, patrono de los viajeros; una estatuilla de Quetzalcóatl, el dios todopoderoso azteca; y una estampa de la Virgen de Guadalupe, con una oración milagrosa en su anverso.

Dentro del tarro de vidrio se erguía un montículo de la tierra en que Medardo había nacido, parte de la patria que llevaba en el corazón y que nunca hubiera abandonado si no fuera por la miseria. Estaba completamente seguro de que el escapulario de San Cristóbal le evitó ser descubierto en el paso de la frontera, de que Quetzalcóatl lo guió por el desierto de Arizona y lo salvó de morir de sed cuando el coyote lo abandonó en la candente arena poblada de cactos y reptiles ponzoñosos, de que la Virgen de Guadalupe le hizo el milagro de conseguirle trabajo y alojamiento en Immokalee. Tenía fe que sus dioses lo protegían de los malos coyotes, de la Migra, de los patronos explotadores, de la policía y de los matones norteamericanos que se emborrachaban y venían al pueblo a descargar sus insultos y furia en los jornaleros inmigrantes, acusándolos de todos los males habidos y por haber que acongojaban al coloso del Norte.

Medardo se había desnudado, acababa de apagar la luz y cerrado los ojos para entregarse al anhelado sueño, cuando escuchó un leve toque en la puerta de su reducida alcoba. Iba a preguntar qué deseaban pero en eso la hoja de madera se abrió y, a la luz del pasillo, vio el rollizo cuerpo en bata de doña Eduviges, quien preguntó en voz baja:

—¿Todo bien?

—Sí, todo bien —respondió él tratando de cubrir su cuerpo.

Doña Eduviges no dijo más, entró y cerró la puerta, se quitó la bata y se recostó sobre el colchón. Con una ferocidad sexual, envolvió en sus obesas carnes el cuerpo del muchacho quien, sorprendido por aquel inesperado asalto, se había quedado congelado, arrollado por las expertas caricias de la mujer que parecía haber multiplicado sus manos, sus besos y su ágil y húmeda lengua, cubriendo todas las partes sensibles de la presa. Ante aquella avalancha de pasión y deseo de animal en brama, Medardo no tuvo más remedio que responder con la vitalidad de sus propias armas. Así estuvieron por buen tiempo, y cuando por fin la mujer había saciado su desaforado apetito sexual, se levantó, vistió la bata, abrió la puerta y, antes de marcharse, dijo con acento autoritario:

—Éste es el primer mandamiento. Has respondido muy bien. Buenas noches.

Medardo quedó en la oscuridad, con un sinnúmero de ideas confusas rondando en su agitado pensamiento. Acababa de pasar por una experiencia de verdad extraña. Es cierto que había satisfecho sus necesidades físicas y gozado con la destreza erótica de doña Eduviges, pero le resultaba curioso que en este caso él no hubiera sido el buscador de ese encuentro sino, por primera vez en su vida, el buscado; más bien el usado y, hasta cierto punto, el abusado. De todas maneras, esa noche durmió profundamente.

El día siguiente, domingo, Medardo se levantó a eso de las ocho de la mañana, se lavó la cara y salió hacia el centro del pueblo. Los jornaleros aprovechaban el fin de semana para lavar la ropa en las lavanderías comerciales, hacer los comprados de la semana, enviar dinero a sus familias y llamarles por teléfono para ponerse al tanto de las noticias de su tierra y seres queridos. El resto del día y del dinero, si es que éste sobraba, lo ocupaban para consumir comida típica en los pocos restaurantes disponibles.

La vida del inmigrante está partida en dos. Mentalmente, éste vive en su tierra de origen, la que se convierte con el tiempo y la distancia en un lugar de nostalgia, y adquiere dimensiones casi míticas. Físicamente, esta persona vive en el país en que trabaja, que le provee el dinero y el sustento personal y el de los suyos. Y así, en ese constante entrar y salir de estos dos mundos, transcurren las estaciones del año, termina la cosecha en un lugar y ésta comienza en otro; el inmigrante va y viene guiado por la brújula del trabajo. El tiempo también reclama su parte de la existencia del inmigrante y, en su cuerpo y en su mente, le deja las huellas profundas de su odisea personal, del duro trabajo, de vagabundear, de la lejanía de sus seres amados. Pero el inmigrante debe seguir adelante, porque multitudes pobres y desamparadas, países enteros, dependen de su sudor y de su dólar ganado con muchos sacrificios, los que no son reconocidos por sus países ni familiares, quienes, al contrario, demandan de él, o ella, todavía más.

Medardo hizo todos los mandados del día. Envió el dinero semanal a Lorenza, su mujer, luego habló por teléfono con ella y recibió la buena noticia de que todo andaba bien en su pueblo, que sus hijos crecían y adquirían buenas calificaciones en la escuela, que la restauración de la casa marchaba sobre ruedas: ya se habían reconstruido con concreto las paredes de la cocina y de la sala, y que el maestro de obra esperaba un nuevo abono de dinero para continuar con los dormitorios. La casita estaba quedando de lo más linda y amplia, daba gusto estar en ella. Cuando se terminara de reconstruir el patio interior y le pusieran la verja de hierro a orilla de calle, sería una de las casas más bellas de la aldea. Y todo por el trabajo de Medardo en el Norte; por eso sus hijos, su mujer y toda su familia rezaban todos los días para que la Virgen de Guadalupe lo protegiera. Aquellas noticias eran del agrado de Medardo; le inyectaban más energías para continuar recolectando tomates y pepinos bajo el intenso sol de Florida.

La tarde del domingo languidecía. Después de tomar una abundante cena y caminar por el centro de Immokalee, Medardo se dirigió a su alojamiento con el propósito de dormirse temprano, ya que al día siguiente debía levantarse en la madrugada para iniciar una semana más de intensa labor. Llamó a la puerta y doña Eduviges la abrió. La mujer presentaba similar aspecto del día anterior, es decir, vestía la bata larga, holgada y floreada que al parecer representaba su atuendo favorito. Ella lo escrutó de pies a cabeza con sus grandes ojos negros de lechuza, mirada a la que Medardo decidió empezar a acostumbrarse. Doña Eduviges le pidió pasar a la sala para conversar un rato; sin esperar respuesta ella se puso en marcha y él le siguió los pasos sin hacer ningún comentario. Medardo tomó asiento en el cómodo sofá, frente a doña Eduviges que no cesaba de mirarlo, ahora con una leve sonrisa que él, acaso impulsado por su machismo, interpretó como una señal de aprobación por los servicios sexuales prestados la noche anterior.

Del cuarto próximo venía el fuerte sonido de una canción muy popular en los años sesenta del siglo pasado, y que en los albores del nuevo parecía fuera de época, por su sonido y su letra. El volumen de la música era tan alto que doña Eduviges se vio obligada a gritar, proyectando la voz y la mirada hacia la habitación contigua:

—¡Tony, bájale el volumen! Ven a saludar al nuevo inquilino.

Luego se dirigió a Medardo:

—¡Este hijo mío vive enamorado de esas canciones antiguas! Las escucha día y noche.

El sonido de la música decreció y en la sala apareció un muchacho de unos veinticinco años de edad, con actitud rebelde y enfadada. Vio a Medardo con aparente incomodidad y, sin titubeos, le dijo en su cara:

—Ah, ya veo, tú eres el nuevo amante de mi madre.

Doña Eduviges se incorporó del sofá, se acercó a su hijo y le propició una bofetada que el joven recibió con una serenidad asombrosa, como si la esperara y el golpe le causara cierto placer. Luego salió de la sala y, desde su cuarto gritó:

—¡Eres una puta!

Doña Eduviges se puso en pie, decidida a confrontar a su hijo, pero éste, con gran estruendo cerró la puerta y le echó llave, por lo que ella regresó a la sala y tomó asiento.

Medardo no se había movido de su asiento ni dicho una sola palabra. Todo su ser permanecía atento ante aquel extraño drama que se desarrollaba ante sus ojos. Se escuchó la gangosa y lastimera voz de Bob Dylan, esta vez con suave sonido:

> How does it feel?
> to be on your own
> with no direction home
> like a complete unknown
> like a rolling stone.

Doña Eduviges balbuceó:

—Ya anocheció.

—Sí —corroboró Medardo—. Es hora de dormir. Mañana debo levantarme a las cuatro para irme al trabajo.

—Buenas noches —dijo doña Eduviges.

—Buenas noches —contestó Medardo y se fue a su habitación.

La historia de doña Eduviges, como la de incontables mujeres inmigrantes, era una de lucha y dura supervivencia. Había llegado a Immokalee hace muchos años en el tiempo de la cosecha. Su joven y esbelta figura fue su salvo-conducto para sobrevivir en el mundo de contrabandistas de indocumentados y contratistas explotadores en que su vida de entonces se desarrolló; una existencia totalmente hostil para la mujer, en que fue abusada sexualmente en diferentes ocasiones por los coyotes antes de cruzar la frontera, por inmigrantes que la engañaron con falso amor, por contratistas que le prometieron mejor trabajo y salario y que la dejaron abandonada. Finalmente hizo hogar con un ranchero norteamericano jubilado, quien al fallecer agobiado por su débil corazón de anciano le heredó aquella vieja casa de Immokalee. Por cierto tiempo se ganó la vida limpiando habitaciones de hoteles en ciudades cercanas, y dando alojamiento a jornaleros durante la temporada de la recolección de legumbres. Mientras tanto Tony, su único hijo, había crecido en su distante país al amparo de su abuela materna que le prodigaba cuidados permisivos y una vida licenciosa y sin escuela. Cuando murió la abuela, doña Eduviges pagó un coyote para que le trajera a su hijo, ya entrado en los quince años, a quien llevó largo tiempo y esfuerzo adaptarse a la supervisión de una madre, a la presencia de un padrastro norteamericano y a la cultura del nuevo país. El muchacho terminó abandonando la escuela y encerrándose entre las cuatro paredes de su cuarto, aleccionándose con las explosivas canciones populares de los años sesenta, la televisión y la radio, sus únicas conexiones con el mundo exterior, a excepción de los encuentros casuales y violentos con su madre, a quien consideraba una mujer vulgar y miserable, indigna de su respeto y amor.

Medardo tomó una refrescante ducha, se fue a su cuarto y escogió su ropa de trabajo para el día siguiente, se santiguó ante la estampa de la Virgen de Guadalupe, besó el escapulario de San Cristóbal e hizo una respetuosa reverencia ante la estatuilla de Quetzalcóatl que lo miraba con su mirada ancestral de jade; se quedó en calzoncillos, apagó la luz, se echó en la cama y se puso a revisar mentalmente las agradables noticias que le había comunicado su mujer. Los hijos crecían con el apropiado sustento y asistían a la escuela. Su mujer estaba contenta. Magnífico. La casa estaba quedando muy linda con sus nuevas paredes de concreto, con su verja de hierro y su jardín. Excelente . . . Sus meditaciones fueron de pronto interrumpidas por el leve ruido de la puerta de su aposento que se abría. En la media oscuridad, Medardo pudo distinguir un bulto que se acercaba en silencio; reconoció a doña Eduviges que se sentaba en el colchón, se despojaba de la bata y se deslizaba junto a él para iniciar otra desenfrenada orgía, con mayor ardor y pasión que la anterior. Cuando doña Eduviges había experimentado el orgasmo inicial y tomaba un descanso, en el pasillo se oyó un grito:

—¡Mi madre es una puta! ¡Mi madre es una puta!

Luego se escucharon carcajadas estentóreas, seguidas por una canción cuya música y voz invadió la casa y traspasó las paredes. Doña Eduviges se puso la bata y salió del cuarto de Medardo, quien desde su cama escuchó la encarnizada batalla de insultos, a cual más obsceno e hiriente, entre la madre y el hijo. Momentos después todo quedó en calma. Medardo se quedó dormido. A las cuatro en punto de la madrugada se levantó, se dio un duchazo, se vistió, dijo las oraciones matinales a las divinidades de su predilección, las depositó en su inseparable mochila, y se marchó.

La recolección de legumbres implica una labor intensa usualmente por períodos de diez horas continuas. En los días laborales, los jornaleros dejan su alojamiento en la madrugada y se dirigen a la estación en que los caporales los recogen, y en desvencijados autobuses y camiones los trasladan a las granjas. A veces sin tomar el desayuno, se entregan a recoger los tomates en cubetas que llegan a pesar más de treinta libras, por la cual reciben un pago aproximado de cuarenta y cinco centavos. Medardo era un jornalero experimentado, y en un buen día podía llenar hasta ciento veinte cubetas y recibir cincuenta y cinco dólares, doscientos ochenta a la semana, lo cual representa un salario considerable, tomando en cuenta que en su pueblo natal, por una faena equivalente recibía cincuenta veces menos. Cuando en su país el trabajo decreció y le fue imposible encontrar una ocupación decente, decidió pasar la frontera de forma indocumentada y buscar el dólar en el inmenso país del Norte. La circunstancia de Medardo era idéntica a la de millones de obreros cuya miseria, necesidad y desesperación los lanzaba a tierras ajenas, porque en la propia se les negaba la más mínima oportunidad de supervivencia.

Al fin terminó el largo día de trabajo y Medardo, con un grupo de jornaleros, fue a tomar el transporte de regreso al centro de Immokalee, donde pasó a cenar y luego se fue directo al alojamiento. No había tiempo para más, ya estaba por oscurecer y se sentía agotado, ansioso por darse un baño y tirarse a la cama a descansar. Tocó la puerta de la casa como ya empezaba a hacerse rutina para él. Esperaba que doña Eduviges, ataviada con su floreada bata, abriera y él entrara bajo la curiosa mirada de los ojos de lechuza de la dueña. Pero esta vez no fue así; es decir, la puerta se abrió, pero lo invitó a pasar un hombre alto y blanco, casi rojo, quien de inmediato le presentó sus credenciales del Departamento de Inmigración y, en perfecto idioma español, le pidió sus papeles. Cuando estuvo claro que Medardo no los tenía, que era indocumentado, el agente de la Migra lo esposó y lo condujo a la sala donde se encontraban, debidamente esposados y vigilados por otro agente, cinco muchachos cuyos rostros, como el de Medardo, mostraban decepción y desconsuelo. Los oficiales salieron con sus presas y las metieron en un microbús. De la casa emanó una fuerte música que se mezclaba con los gritos de doña Eduviges y su hijo:

—¿Por qué llamaste a la Migra?

—¡Para que se llevaran a tus amantes! Esos apestosos mojados.

—¡Eres un imbécil!

—¡Y tú, la puta más grande del mundo!

El vehículo del Departamento de Inmigración se puso en marcha. Los capturados serían procesados esa misma noche y seguramente deportados el día siguiente.

Esposado, en compañía de los otros desgraciados, Medardo comprendió en ese momento que todo en él había cambiado, y que regresaba forzado a una tierra que era la suya pero que para él nunca más sería la de antes. El tiempo que logró vivir en el extranjero estuvo encerrado como en una cápsula, rodeado de sus dioses y cosas que lo mantenían en aquel particular mundo dividido entre nostalgia y realidad. Pensaba que sus dioses habían sido débiles ante los designios de doña Eduviges y la venganza de su rabioso hijo. Así de extraña era la vida, y el amor, del inmigrante en aquellos parajes agrestes de Estados Unidos.

Cuando llegara deportado a su tierra lo verían como a un fracasado; alguien que no vale nada, que no aporta al sustento de sus seres queridos ni al progreso de su patria. Lo harían sentirse tan bajo e insignificante que se vería obligado a partir de nuevo, a escalar el muro, cruzar la frontera, el río, el desierto, para alcanzar el Norte y enviar dólares. Entonces sería de nuevo el gran héroe. Sí, definitivamente, él ya no era el mismo. Había probado el sacrificio y la gloria que representaba el dinero, y no tenía más remedio que lanzarse a conseguirlo, así pusiera su vida en peligro.

# El nagual

EL IDEAL DE IXQUIC era abandonar aquel caserío de montaña, tierra antigua donde aún rondaban como duendes personajes y creencias que databan de tiempos remotos, cuando su raza imperaba. Ella deseaba dejar todo aquello y emigrar, conocer nuevas personas, tierras y costumbres. Era joven y bella, inteligente y atrevida, y su nonagenario abuelo, Tucur, quien descendía de un antiguo linaje de chamanes, había leído en los ojos de Ixquic que ella estaba destinada a cosas grandes en lugares lejanos que en nada se parecían a su pueblo natal.

Muchos lugareños habían emigrado e intentado cruzar aquella frontera sumamente vigilada en casi todos sus puntos, y regresado a la aldea, decepcionados y vencidos, sin haber materializado sus ambiciones. Sin embargo, Ixquic creía que su destino era cruzarla, y aunque no representaba una empresa fácil, tenía que ingeniárselas, inventarse una manera, pues del otro lado estaba la realización de sus sueños, el mundo profetizado por el abuelo.

La tradición oral de su tierra hablaba del fenómeno del nagual: persona, cosa o animal en que sus antepasados se transformaban a voluntad. La joven Ixquic pensó que acaso allí estaba la respuesta. En el nagual. Transformarse para cruzar la frontera sin ser detectada, y descubrir así la fabulosa tierra de sus quimeras.

Ixquic se había distanciado de aquellos mitos milenarios, en parte por contradecir a sus padres deseosos de someterla a sus costumbres que ella llamaba anticuadas, en parte por su rebeldía hacia todo lo que representaba el pasado, el cual ella concebía como algo obsoleto, que en tiempos modernos no proveía beneficio alguno.

Consultó con el abuelo sobre la idea del nagual, y el viejo la miró con ojos de absoluta sorpresa, como si de pronto le hubieran recordado algo que sacudía todo su ser y su existencia, y lo remontara a tiempos inmemoriales.

—Lo primero es averiguar cuál es el tuyo —había expresado Tucur después de recuperar su compostura—. Todos tenemos uno pero, para invocarlo, hay que saber cuál o qué es y, sobre todo, tener fe absoluta en él, de lo contrario la transformación no sucede.

—¿Qué es el nagual? —quiso saber la muchacha.

—Nuestros antepasados creían que cada uno de nosotros está compuesto de dos seres opuestos, el tonal y el nagual, los dos lados de la dualidad que conforma a todo lo que existe en el universo. A esto lo llaman Ometeotl, y Omeyocán al universo, el lugar de la dualidad.

—Suena bastante complicado —dijo la muchacha.

El abuelo comentó:

—El nagual nos permite entrar y salir de las dos partes de nuestra dualidad. Es una habilidad que le pertenece a cada uno de nosotros, simplemente porque nacemos y morimos, que es la experiencia dual fundamental de todo ser.

La flor de la juventud de Ixquic la hacía mostrarse impaciente ante aquellos conceptos que le parecían aburridos y extraños, sobre todo porque ella se negaba a detenerse en ellos, meditarlos, tratar de entenderlos.

—¿Cómo nace el nagual en la persona? —preguntó.

—Es asignado por los dioses en el nacimiento y, así como el nombre que dan los padres al recién nacido, marca a la persona para toda la vida. Es su otra identidad. Su ser paralelo.

—¿Cuál es tu nagual abuelo?

—El búho, el mensajero —contestó Tucur, y al decirlo ya se había convertido en aquella ave, lo cual espantó a Ixquic y la hizo salir a la carrera.

El pájaro alzó el vuelo fuera del rancho, cruzó los cielos por un buen tiempo, y regresó a su sitio. La muchacha no se había recobrado completamente del terror pero regresó a la choza del abuelo, quien ya había recuperado su forma original y estaba sentado en su butaca, fumando un puro cuya densa humareda expelía un olor tan fuerte y agrio que alejaba a los malos espíritus. Ixquic se sentó ante él y recobró la calma.

—Mi nombre, ¿qué significado tiene?

—Es muy especial. Ocupa un lugar importante en la tradición de nuestros antepasados.

—Es indígena. A mí no me gusta —dijo ella con desprecio—. ¿Por qué no me pusieron un nombre normal como María, Rosa o Isabel? Todo el mundo me pregunta su significado y tengo que decirles que no lo sé, y que no me importa.

—Eres una niña rebelde y arrogante —dijo el abuelo—. Siempre lo fuiste desde tu nacimiento.

Ixquic se marchó, obviamente frustrada por su realidad, la cual ella veía como un obstáculo para conseguir lo que más deseaba: irse de aquel pueblo solitario y atrasado. Cierta vez en que con la familia visitó un pariente que residía en la ciudad, vio por la televisión que el mundo progresaba a pasos agigantados, sin embargo, por el único camino de su remota aldea jamás había visto pasar siquiera un automóvil.

Al día siguiente, Ixquic vino a comunicarle al abuelo su decisión de irse del pueblo con otros lugareños que habían preparado un viaje. El viejo comentó que ella estaba por hacer algo muy natural y que sus antepasados habían hecho lo mismo: emigrar hacia una tierra diferente en busca de una vida mejor; así lo hizo el pueblo quiché cuando siglos atrás salió de la legendaria Tulán y vino a poblar estas tierras del sur. Ella regresaba por donde ellos habían venido; a la nueva Tulán.

—Antes de partir quisiera que me contara la historia de Ixquic —dijo ella, llevada más que todo por su incurable curiosidad.

El viejo entonces le relató aquel pasaje del *Popol Vuh* en que los feroces señores de Xibalbá, el inframundo Maya regido por los dioses de la muerte, mataron a Hun-Unahpú y Vucub-Hunahpú. Antes de enterrarlos le cortaron la cabeza a Hun-Hunahpú y la colgaron de un árbol que nunca había cosechado y que de pronto se cargó de fruta, lo que sorprendió a los habitantes, quienes venían a observarlo, sorprendidos. La cabeza de Hun-Unahpú se había vuelto roja y se confundía con la fruta. Los señores de Xibalbá prohibieron al pueblo que se acercara al árbol. Cierta vez, una doncella llamada Ixquic, hija de un personaje poderoso, escuchó a su padre hablar del maravilloso árbol y, poseída de la curiosidad, sola se dirigió a verlo. Estando frente a él, la doncella se preguntó qué sabor tendrían aquellos manjares. La cabeza de Hun-Hunahpú le pidió a la joven que se acercara y tocara la fruta. Ella así lo hizo y la cabeza le escupió la mano. Cuando se observó la mano, la saliva se había consumido. La cabeza de Hun-Hunahpú le indicó que había depositado en ella a sus descendientes, que abandonara Xibalbá, que emigrara a la superficie de la tierra, lo cual no le fue fácil, porque su padre, al verla embaraza sin haber contraído nupcias la calificó de ramera, la llevó ante los señores de Xibalbá quienes declararon que debía ser sacrificada, su corazón extraído y llevado a ellos para incinerarlo. Ixquic, camino al lugar de la inmolación, se valió de su belleza, inteligencia y audacia para convencer a los sacrificadores que la liberaran y que en lugar de su corazón llevaran una calabaza llena de la sabia del Árbol de Sangre. Los señores de Xibalbá quedaron satisfechos al quemar la calabaza repleta de aquel líquido rojo, y la astuta doncella Ixquic fue libre de cruzar la frontera, subir a la tierra y dar a luz a los descendientes de Hun-Hunahpú: Hunahpú e Ixbalanqué, los legendarios héroes gemelos que posteriormente regresaron a Xibalbá a vengar la muerte de su padre.

El viejo, para concluir el relato, enfatizó:

—Así está escrito en el Libro Sagrado; así fue cómo nacieron Hunahpú e Ixbalanqué; ése fue su origen, de una princesa, bella e inteligente de Xibalbá llamada Ixquic.

La muchacha se despidió del abuelo y tomó el camino hacia las afueras de la aldea, acompañada de mujeres, hombres y niños que se lanzaron, a través de montañas, ríos y ciudades, con sus pocas pertenencias al hombro, con el corazón repleto de sueños y esperanzas.

La travesía fue larga y escabrosa. Numerosos fueron los que se rindieron, quedaron atrás, perdieron la vida o regresaron a su aldea.

Reducido a una cuarta parte, el grupo de Ixquic finalmente llegó a la frontera.

Allí estaba ante ellos el obstáculo final, una muralla imponente construida de hierro, poblada de nopales espinosos, vigilada por la patrulla fronteriza y por celosos centinelas particulares obstinados en no dejar entrar en su paraíso a las huestes de indocumentados que acampaban al otro lado en espera del momento favorable para pasar. Así transcurrían los días y las noches. Esperando. Pero el estorbo mayor siempre estaba allí, inamovible e infranqueable.

Una mañana, los nopales, los magueyes y los cactos se habían llenado de frutos, cuyos vivos colores adornaban el árido y lóbrego paisaje de la frontera. Era el tiempo en que los pájaros migraban de las cálidas tierras del sur hacia los frescos santuarios de ríos y lagos del norte guiados por el ciclo natural de la reproducción y la supervivencia de la especie. A su paso se posaban sobre los nopales y arrancaban una pequeña fruta que los abastecería en el viaje. Eran tantas las aves que por la tarde la fruta había desparecido.

Ixquic, transformada en su nagual, flor de nopal, volaba por los aires sostenida en el pico de un pájaro, Tucur, que cruzaba la frontera del cielo azul, rumbo al lugar donde ella recobraría su forma original y empezaría la nueva vida soñada.

Antes de remontar el vuelo de regreso, Tucur había dicho a Ixquic:

—Recuerda niña que no importa dónde vayas, dónde te encuentres, o lo que llegues a hacer de tu vida, en lo profundo de tu ser siempre serás la misma; porque los dioses te marcaron para siempre, ya en tu forma normal o en la de tu nagual.

# *Odisea*

Venían de lugares lejanos,
del sur, del este, del oeste,
de montañas, villas y ciudades
dejando atrás tierras queridas,
amor, amigos, abuelos.

Venían con ilusiones al hombro
de la mano de mujeres y niños
guiados por los alaridos del viento,
la ardiente arena del desierto,
y los rugidos del mar.

Huían de la guerra y el hambre
de la opresión y la miseria
de la soledad y el desconsuelo
en busca de la tierra del oro
y un tiempo de paz.

Muchos llegaron a ciudades extrañas
conquistaron la esperanza
iniciaron nueva vida
crecieron y prosperaron
encontraron ilusiones perdidas.

Otros continuaron la marcha
más allá del horizonte.

# El niño dragón

A Jon Cortina,
In Memoriam.

• 1 •

MIENTRAS LANZABA LLAMAS por la boca en una intersección de la Avenida Principal, Adrián, un chico de la calle conocido como "Niño Dragón", fue arrollado por un vehículo que se dio a la fuga.

El muchacho quedó tirado en la vía. Su tostado rostro, pintarrajeado de mugre y pintura barata, mostraba una mueca de terror. De la boca abierta todavía emanaba humo. Su mirada agónica estaba proyectada hacia el cielo. Al escuálido cuerpo arropaban hilachas, vestigios de una camisa incolora y de un pantalón corto. Sus pies descalzos, negros y callosos, estaban aplastados y deformes.

Los escasos 13 años de vida de Adrián habían terminado de forma abrupta aquel fatal mediodía sobre el asfalto accidentado de la populosa avenida. Sus compañeros se congregaron alrededor del cuerpo, como los trapecistas de un circo juvenil y macabro, incapaces de aceptar la pérdida de su máxima estrella.

Por un momento hubo cierto silencio funeral y algunos vehículos detuvieron la marcha. Los pasajeros observaban la confusa tropa de jóvenes actores ambulantes y esperaban entre bostezos que se subieran uno encima del otro para formar la acostumbrada pirámide humana, que desde la cumbre un niño lanzara grandes llamas por la boca, y que luego los muchachos rápidamente deshicieran la pirámide para meterse entre los carros y autobuses a solicitar dinero en recompensa de su presentación callejera, antes de que la luz del semáforo se pusiera en verde.

Algunos transeúntes advirtieron que se trataba de un muerto, y continuaron su camino entre el ruidoso trajín de la ciudad.

Apareció un carro de la policía seguido de una ambulancia y sin mayores averiguaciones recogieron los restos, como si fueran los de un perro y quisieran deshacerse del desperdicio maloliente a toda prisa.

—¿Adónde lo llevan? —preguntó una mujer vestida de negro.

—Supongo que a la morgue —respondió alguien.

—Lo aventarán a un barranco.

—Qué importa. Nadie se molestará en reclamarlo.

—Quizá era un ladrón. Hoy abundan.

—A lo mejor un drogadicto. También de esos hay muchos.

—Un "huele pega".

—Un prostituto juvenil.

—De seguro era un pobre diablo.

—Y por esos nadie se interesa.

—La ley no protege a los vagos.

—La ley es para el que tiene dinero y la puede manipular.

—Protege a los animales pero no a los niños desamparados.

—Si se tratara de un perro, apuesto a que ya estuviera aquí la Sociedad Protectora de Animales, demandando una pronta explicación.

• 2 •

El dragón callejero había sido atropellado en cosa de segundos, pero llegar a esa edad para terminar de tan violenta manera en aquella ciudad extraña tampoco le había sido fácil, pues antes tuvo que sobrevivir el abandono y la miseria. Mientras agonizaba tirado en el interior de la ambulancia, las borrosas imágenes de su pasado relampaguearon en su memoria.

Nació en un pueblo pequeño y remoto de montaña en El Salvador. Su padre trabajaba de sol a sol en el arado de un terreno infértil y volcánico. Sus primeros años de infancia, caracterizados por la desnudez y un vientre abultado, transcurrieron en una choza de paja y adobe bajo el accidentado cariño de su madre, en la compañía de sus hermanos y primos. La tranquilidad del lugar era a menudo interrumpida por la violencia de la guerra civil que por esa época azotaba al país.

En busca de un futuro mejor, algunos habitantes del caserío, entre los que se contaba su padre, engrosaron las filas insurgentes que les ofrecían la esperanza del cambio social si combatían para derrocar al régimen de turno. En represalia, las tropas gobiernistas invadieron la aldea cierta mañana y la incendiaron, dando muerte a los habitantes. Sobrevivieron varios niños, entre ellos Adrián, su hermano y su hermana, y fueron llevados a un cuartel.

El hermano menor fue adoptado por un soldado. La hermana pasó a un orfanato y tiempo después fue acogida por una familia extranjera.

El destino de Adrián, quien para entonces contaba con 10 años de edad, fue menos benigno, pues pasó a las manos del propietario de varios centros nocturnos dedicados al turismo sexual. Fue así que creció entre prostitutas. Paradójicamente, ese primer año de orfandad y cautiverio fue quizá el más feliz de su vida, pues las muchachas lo colmaban de cuidados y cariños; lo mimaban como al hijo que nunca pudieron tener. Estas mujeres de temprana y mediana edad habían sufrido en carne propia el rapto, el cautiverio, la violencia y el abuso sexual, y en cierto modo trataban de proteger al chico para que no padeciera el mismo destino.

Así transcurrió un año, en el que Adrián se crió en un ambiente de venta y explotación sexual. Cierto día su madre adoptiva, la joven administradora del prostíbulo, lo llamó a su habitación.

—Hijo, sé que te has acostumbrado a convivir con nosotras en esta vida de perdición.

El muchacho la miró intrigado. Ella se deshizo en lágrimas y le dijo que debía escapar de aquel lugar.

—¿Por qué, mamá?

—Yo no soy tu mamá. No soy digna de eso. Soy una mujer que se vende a los hombres.

El muchacho contestó que para él, ella era su madre. La mujer insistió que debía huir. Él no entendía la razón del argumento. Se había acostumbrado a aquel cariño, que era lo más cercano al amor maternal que él conocía.

La mujer se vio obligada a expresar la verdad a aquel chico no tan inocente pero de muy temprana edad acaso para comprender las complicaciones de la vida. Le explicó que lo habían tenido allí para que se repusiera de la pérdida de su familia, y sobre todo para que engordara porque estaba raquítico. Muy pronto pasaría a otro lugar donde lo obligarían a que se acostara con hombres y lo abusaran sexualmente, por dinero.

—Eso sólo lo hacen con las mujeres —arguyó él.

—También con muchachos menores de edad —refutó ella—. A mí me duele el corazón de sólo pensar en que te abusen. Yo sufrí eso en mi infancia . . . Escapar de aquí es tu único remedio. Irte muy lejos lo antes posible.

—¿Cuándo?

—Esta noche, o mañana a más tardar.

La mujer lo abrazó con ternura y lágrimas, y le entregó unos cuantos billetes. El muchacho lloró en silencio.

—Sé que has sufrido mucho —dijo ella—. Mi vida tampoco ha sido fácil. Cuando tuve mi primer y único hijo lo dejé con mi mamá. A ella la mataron una vez que invadieron el pueblo y a mi hijo nunca lo encontré. Ni vivo ni muerto. Creo que se lo robaron . . . Después, con engaños de un hombre, el mismo que te trajo aquí, vine a este lugar supuestamente a desempeñar un trabajo decente, pero me obligaron a la prostitución . . . A estas alturas mi hijo perdido tendría tu edad . . . Es por eso que te tengo mucho cariño y comprendo tu sufrimiento.

Las palabras de la mujer revivieron en la mente de Adrián el trágico pasaje de la pérdida de su familia, el que narró a su madre adoptiva entre sollozos:

—Estábamos con mi mamá en la casa . . . se oyeron balaceras, y ella nos dijo que fuéramos a escondernos en la huerta del patio. Desde allí vi cuando los soldados entraron en la casa y dispararon a mi mamá . . . luego incendiaron el rancho . . . todo el caserío estaba prendido en llamas . . . entonces salí huyendo con mi hermano y mi hermana, corriendo, tropezando con los muertos, pasamos el río, allí también había muchos cuerpos de gente muerta.

Unos soldados nos atraparon y nos subieron a un helicóptero . . . había mucho llanto, los niños lloraban y llamaban a su papá, a su mamá . . . Desde el helicóptero se veían los incendios, mucho humo, y gente corriendo por todos lados . . .

La mujer escuchaba entre gemidos. Imaginaba que igual suerte había corrido su propio hijo.

—Nos bajaron en el patio de un cuartel . . . Nunca encontré a mi papá. Mi mamá murió a balazos y se quemó con la casa . . . Me separaron de mi hermano y de mi hermana. A mí me llevaron a un lugar donde había muchos niños. Llegaba gente extraña y se llevaba al que más le gustaba. A mí me metieron en un carro y me trajeron a esta casa . . .

Adrián se echó a llorar. A sus once años, no podía entender por qué la vida se presentaba tan difícil y extraña, como una cadena de sucesos tristes y violentos. Su segunda madre ahora también lo abandonaba.

—Lo siento —dijo la mujer—. Pero no te conviene continuar en este lugar.

—Mañana . . . —le dijo él, y se abrazó a ella para llorar.

—Bien, mañana vendrá a recogerte un amigo.

—¿Quién es?

—Un hombre que te ayudará a encontrar una vida mejor en un lugar lejos de aquí.

• 3 •

El amigo de la mujer resultó ser un hombre dedicado al tráfico de indocumentados hacia Estados Unidos, cuya red fue descubierta en Guatemala. El traficante había aconsejado a Adrián sobre lo que debía hacer en caso de que fueran descubiertos, y fue así que el muchacho logró escapar con otros para continuar la marcha hacia el Norte.

Caminando unas veces y otras subiéndose en camiones de carga llegó a una ciudad donde aprendió a mendigar dinero, comida y cualquier cosa que se le quisiera dar.

En la calle conoció ladrones, pordioseros y niños vagabundos como él. Se acostumbró a esa vida dura y perdió el miedo a los peligros, a los maleantes, a la autoridad; incluso a la misma muerte.

Aprendió a robar cuando mendigar no producía nada. Se hermanó con la oscuridad y dormía despierto en cualquier rincón desolado.

Trabó amistad con un grupo de muchachos que se dedicaba a pedir dinero en las esquinas después de ejecutar un acto callejero llamado "La Torre del Dragón", en que uno de ellos se subía sobre los hombros de los otros, absorbía un poco de gas por la boca, se acercaba una antorcha encendida a la que escupía el gas y formaba grandes llamas, lo cual daba la impresión de que el muchacho lanzaba fuego por la boca.

Era un acto peligroso que debía ejecutarse en cosa de segundos y con mucho cuidado, de lo contrario se corría el riesgo de intoxicarse con el gas o de quemarse el rostro. Adrián lo aprendió pronto para convertirse en un diestro niño dragón. Así sobrevivió por cierto tiempo.

• 4 •

El soldado que adoptó al hermano menor de Adrián lo entregó a su madre con estas palabras: "Si muero en la guerra, este niño será tu compañía". La mujer lo acogió en su seno y lo crió como a un hijo de su propia sangre, y cuando las palabras del soldado sobre su destino se hicieron realidad para convertirlo en una de las 75.000 víctimas de la guerra civil, ella lo quiso aún más, pues creyó que aquel muchacho risueño, inteligente y bien comportado, era realmente la reencarnación de su hijo.

El niño correspondió con amor el cariño de su nueva madre, y ambos descubrieron la felicidad en aquellos tiempos de tragedia.

• 5 •

La muerte de Adrián pareció un accidente callejero pero en realidad fue un homicidio premeditado.

La semana anterior, un individuo que pagaba a los niños vagabundos por actos sexuales había puesto sus ojos en Adrián y lo invitó a su casa. El muchacho sintió terror hacia el hombre y lo rechazó. Luego buscó la protección de sus compañeros, pero estos no lo apoyaron porque, según ellos, Adrián debería aprovechar la oferta.

—No es tan difícil —había dicho un chico—. Yo fui a su casa y me trató muy bien. Me hizo que me bañara y me cambiara de ropa. Me dio buena comida y me regaló unos pesos.

Otro, se atrevió a contradecir al grupo:

—Yo no lo haría. Ese tipo es un enfermo. Hay que tener mucho cuidado con él.

Adrián sintió un asco tremendo por todo aquello y estaba decidido a no permitir que aquel sujeto lo tocara. Recordaba las palabras de su segunda madre, quien prefirió que él se escapara del prostíbulo antes de que lo abusaran.

El hombre intentó convencer a Adrián varias veces, sin ningún éxito. Tomó el rechazo como una afrenta y en venganza decidió hacer lo que siempre hacía con los que se negaban a sus pedidos: darle muerte. No era la primera vez que adoptaba aquella medida extrema. Los cinco chicos muertos en supuestos accidentes en los últimos meses en aquella ciudad, eran su culpa. La policía no había ni siquiera iniciado una averiguación formal del caso, mucho menos la búsqueda del asesino, porque la investigación de la muerte de los vagabundos no era prioridad, sobre todo porque nadie intercedía a favor de ellos.

Aquellos niños de la calle eran considerados seres indeseables, cuya presencia ofendía a la sociedad, por lo que aquel hombre creía que sus actos delictivos eran más bien loables y no reprochables, pues su destino, según él, era limpiar el mundo de criaturas despreciables como aquellos menores de edad que pululaban por la ciudad como animales sin dueño.

Fue así que decidió esperar pacientemente aquel mediodía en la intersección de la Avenida Principal.

Los niños hicieron la pirámide, Adrián se subió a la cúspide y lanzó largas llamas por la boca como de costumbre. De inmediato deshicieron la formación y se metieron entre los vehículos a pedir dinero.

En los escasos segundos en que Adrián estuvo en la intersección, antes de ir a mendigar centavos, un automóvil con vidrios ahumados y sin placas aceleró y se lo llevó al encuentro, atropellándolo con fuerza y violencia, y lo dejó tendido en la calle, inconsciente.

• 6 •

La hermana de Adrián fue amparada por un matrimonio extranjero que había hecho lo mismo con un huérfano de la guerra civil de Guatemala y otro de Nicaragua. Movidos por un profundo sentido de responsabilidad cívica y moral, la adopción de los niños representaba para ellos una actitud de redención hacia los desposeídos. Estaban decididos a criar aquellos chicos lo mejor que les permitieran sus posibilidades, y contribuir así a la paz del mundo.

Cuando llegó al país adoptivo, la hermana de Adrián tuvo muchos problemas para acostumbrarse al nuevo clima, a la comida, a la gente. En la escuela, los otros alumnos la miraban de manera curiosa e inquirían sobre su origen. Su sueño era accidentado y colmado de pesadillas recurrentes. Soñaba que moría quemada en un rancho en llamas, junto a su madre, donde sus hermanitos trataban infructuosamente de rescatarla. Con el intenso cuidado de un siquiatra pudo con el tiempo conseguir un sueño tranquilo.

De suerte que la hermana de Adrián, el niño guatemalteco y el nicaragüense encontraron un hogar honorable y lleno de comprensión, sobre todo de paciencia y amor, que les ayudó a resolver sus problemas y a mitigar el rigor de crecer en un país foráneo.

• 7 •

Cuando la ambulancia se marchó con la víctima y el tráfico retornó a su cotidiano bullicio, un chico le dijo a otro:

—Nos quedamos sin dragón.

—Yo no puedo echar llamas por la boca.

—Nos moriremos de hambre.

Uno menor que ellos se adelantó:

—Yo puedo.

—Bien —dijo el mayor—, aprovechemos ahora que hay bastante tráfico.

Entre el bullicio ensordecedor de vehículos y gente, esperaron a que el semáforo se tornara rojo. Con experimentada agilidad hicieron la pirámide humana, el nuevo niño dragón lanzó enormes llamas por la boca, y luego deshicieron la formación para meterse entre los vehículos a mendigar dinero. Recogieron algunas monedas. Esto les dio cierta esperanza de supervivencia, y por un momento olvidaron al compañero fallecido.

## Fuentes de información y estadísticas (2000)

Organización Pro-Búsqueda: (El Salvador). Niños desaparecidos durante la guerra civil salvadoreña.
1. Total: 530. 261 niñas, 269 niños. (Mayoría en Chalatenango: 116).
2. Edades: De 1 a 13 años. (Mayoría de 1 a 3 años: 123).
3. Época: Entre 1978 y 1991 (Mayoría en 1982: 145)
4. Jóvenes encontrados: 98. Por país: El Salvador 46. Honduras 7. Estados Unidos 14. Francia 11. Italia 14. Suiza 3. Bélgica 2. Países Bajos 1.
5. No encontrados: 428.

Organización Casa Alianza: (Covenant House Latin America). Niños vagabundos muertos en Centro América.
1. Época: Entre octubre 1998 y abril 18, 2000.
2. Causas de muerte: las balas, los matones, el pegamento o el SIDA.
3. Total: 162. Por país: Guatemala 63. México 56. Honduras 35. Nicaragua 7. Costa Rica 1.
4. Casos criminales por abuso infantil en Centro América iniciados por Casa Alianza: 550.

# El vigilante

• 1 •

ERA UN EMPLEO solitario y tedioso, pero, después de todo, era un empleo. Viéndolo bien, quizá era la mejor ocupación que había desempeñado en su vida, si se tenía en cuenta que las anteriores —jornalero, cortador de café, peón de construcción de carreteras—, demandaban excesivo esfuerzo físico, en las que se sudaba bajo el ardiente sol por largas horas, se comía mal y el sueldo era miserable. A eso había que agregar el mal trato por parte de los jefes.

Su trabajo actual, por el contrario, no requería gran esfuerzo físico ni intelectual, era mejor pagado, seguro y libre de peligro. Sólo se requería de él cuidar una casa nueva, deshabitada, y evitar que entraran allí los ladrones. Única y exclusivamente eso.

Era aquella una faena moderna, producto de los últimos tiempos en que miles de sus conciudadanos habían emigrado a Estados Unidos, empujados unos por la guerra civil, otros por la apremiante situación económica. En el Norte, a fuerza de intenso trabajo, ciertas personas habían logrado ahorrar dólares para comprar casas nuevas, de las muchas que entonces se construían en todo el país para el consumo de los llamados "hermanos lejanos", los que algún día regresarían a disfrutar de la paz y del descanso en una casa amplia y moderna, en el sabroso clima tropical de su tierra de origen.

Su misión consistía en vigilar la casa de una pareja que residía en Los Ángeles, California. Recibía una llamada telefónica mensual, usualmente un domingo por la tarde, ya que ese día —como afirmaban los dueños—, el servicio telefónico de larga distancia era más económico.

—¿Cómo está la casa? —era el saludo.

Él hacía lo posible por demostrar entusiasmo, y con cierta emoción fingida, evitando los bostezos, contestaba:

—La casa está bien cuidada, como siempre. Sin problemas.

Podía adivinar cuál sería la próxima pregunta. A veces la hacía la señora. A veces el señor. Pero, invariablemente, era la misma.

—¿No se han metido los ladrones?

—No, señor.

La tercera pregunta era asimismo predecible.

—¿No se ha arruinado nada?

—No, señora.

Y así por el estilo.

—¿No hay goteras?

—No, señor, todo está en perfectas condiciones.

Cuando los dueños se mostraban satisfechos, antes de que cancelaran la llamada, él reunía valor y anotaba:

—Fíjese que no he recibido el sueldo del mes pasado.

La comunicación quedaba en silencio unos segundos, luego continuaba la señora.

—Ya lo mandamos a nuestro apoderado. Él irá a dejárselo pronto.

—Ojalá, porque necesito el dinero para darle de comer a mis hijos.

Él era responsable de tres niños y una mujer, y pensaba que la mención del sustento de ellos ablandaría el corazón de los dueños, sobre todo el de la patrona. El patrón era más difícil de conmover porque mostraba una marcada actitud prepotente hacia el vigilante que no podía ocultar ni siquiera por teléfono.

—No se preocupe que mañana a más tardar tendrá el dinero en sus manos —dijo la dueña.

—Muy bien, gracias.

—Por favor no se le olvide regar las plantas y cortar la grama.

—No, señora.

—Vigile bien la casa. No deje entrar a nadie.

—No, señor.

—Nosotros llegaremos en diciembre.

—Muy bien, aquí los espero.

—Por cualquier emergencia llame al apoderado o a la policía si él no contesta.

—Sí, señora.

—Adiós.

—Adiós.

Era la misma llamada mensual con idénticas preguntas y respuestas. A los dueños no les preocupaba otra cosa que el cuidado de su casa, su inversión, su futuro. Nunca le habían preguntado por el estado de su salud, por su familia, por su vida de soledad entre aquellas blancas paredes.

Pero bien, lo importante es que él tenía trabajo, por aburrido que fuera, y eso lo hacía sentirse afortunado ya que el número de desempleados en el país era enorme, y creciente, lo que había desatado una tremenda ola de criminalidad, de gente desesperada por la crítica situación económica de la posguerra, lo cual, paradójicamente, había también creado aquella ocupación tan particular de vigilante de casas vacías de dueños ausentes.

• 2 •

Los propietarios venían dos veces al año, y permanecían en casa dos semanas. Traían consigo utensilios de cocina y aparatos eléctricos, los que instalaban y usaban durante su estadía, y que volvían a empaquetar cuando se marchaban. Poco a poco habían llenado la casa con muebles y la habían decorado con pinturas, adornos típicos, lámparas, ventiladores y vistosas cortinas.

Con cada visita la casa cobraba un ambiente hogareño. Los dueños se sentían contentos y presentían la cercanía del regreso definitivo a su tierra natal.

Cuando se marchaban el vigilante retornaba a su vida de aburrimiento. Sus días transcurrían internado en aquella amplia y silenciosa casa, y su única preocupación era asegurarse de que todo estuviera en su lugar, y de que los ruidos, a veces extraños, adentro de la casa no representaran ningún peligro.

Cuando llamaban a la puerta, observaba por un orificio y, si no era alguien conocido como el apoderado o los dueños, no estaba autorizado a abrir. Simplemente tenía que decir "El patrón ha salido, regrese mañana".

El apoderado venía una vez al mes. Entraba a inspeccionar la casa, entregaba al vigilante el pago mensual y en corto tiempo se marchaba.

Su mujer lo visitaba los fines de semana. Ella trabajaba de sirvienta en una mansión suntuosa de la ciudad donde le permitían salir el domingo. Traía comida fresca y caliente. Ese día lo pasaban divertido. Se duchaban en el amplio cuarto de baño de la habitación principal, vestían la ropa de los señores, comían en la lujosa mesa de cristal, hacían el amor en la cama enorme y firme de los dueños y andaban semidesnudos a sus anchas por la amplia casa, desempaquetaban el televisor a colores, lo instalaban en la sala y juntos y felices veían la película estelar que transmitían ese día.

—Qué bonita es la vida del rico —comentaba el vigilante a su mujer durante los comerciales—. Ya quisiera yo vivir así por siempre.

—Ay, Dios —decía ella—, con el sueldito miserable de nosotros nunca, apenas nos alcanza para sobrevivir.

—Algún día quizá tengamos suerte y nos saquemos la lotería.

—El que apuesta por necesidad pierde por obligación, como dice el dicho.

—Pero igual, el que no apuesta no gana.

—¿Y los dueños? —preguntaba su mujer—. ¿No te han llamado?

—Claro que sí. Llaman el último domingo del mes.

—¿Alguna noticia?

—No. Siempre lo mismo. Que cuide bien la casa, que vendrán en diciembre.

—¿Les contaste lo del asalto en la casa de la vecina?

—No.

—¿Por qué?

—Porque no los quiero afligir.

—Se los hubieras dicho. Así comprenderán que este trabajo no es tan fácil como muchos creen.

—Tan difícil no es.

—Pero puede ser peligroso. ¿Qué pasa si se meten los ladrones y te matan?

—Esta casa es segura. Todos los accesos están completamente sellados. No hay por donde meterse.

—Para los ladrones no hay nada difícil. La casa del vecino de mi patrón es segura pero lo asaltaron en plena luz del día. Cuando abrió la puerta para irse al trabajo lo sorprendieron. A punta de pistola hicieron que él mismo y sus hijos cargaran el camión con el televisor y muchas otras cosas. Les robaron relojes, joyas y dinero.

—¿Los vecinos no vieron nada?

—Mi patrona vio que el vecino y sus hijos cargaban un camión y no sospechó nada. Hasta lo saludó en ese momento. Cuando los ladrones se fueron vino el vecino y nos contó todo. Mi patrona no lo podía creer.

—Esto sí que está difícil.

• 3 •

—Aló. ¿Cómo está la casa?

—La casa está bien cuidada, como siempre. Sin problemas.

—¿No se han metido los ladrones?

—No, señor.

—¿No se ha arruinado nada?

—No, señora.

—¿No hay goteras?

—No, señor, todo está en perfectas condiciones . . .

Movido por la monotonía y lo predecible de aquella llamada, el vigilante decidió esta vez agregar ciertos comentarios fuera de lo ordinario, como para hacer el momento un poco más interesante.

—Fíjese que a la vecina se le metieron los ladrones . . .

Los dueños, quienes siempre usaban dos aparatos telefónicos para escuchar e intercalar sus propios comentarios durante la llamada, se sorprendieron con la noticia, y el hombre fue el primero en expresar su sorpresa.

—¡No lo puedo creer!

Luego la dueña preguntó ansiosa:

—¿Y usted cómo se dio cuenta?

La emoción del vigilante esta vez fue genuina, y con entusiasmo proveyó los detalles del caso.

—Pues fíjese que yo primero oí los gritos desesperados de una mujer, verdad, y puse el oído contra la pared de la vecina para tratar de oír mejor . . .

—¿Y qué escuchó? —inquirió el hombre—, temiendo que el prólogo del vigilante se extendiera más de lo necesario.

—Oí las voces de varios hombres que ordenaban a la mujer que se tirara al suelo boca abajo . . .

—¿Y después?

—Después ya no se oyó nada.

—¿No llamó por teléfono al apoderado?

—Sí, lo llamé. Y él me dijo que iba a llamar a la policía y que me asegurara de que la puerta de la casa estuviera bien cerrada.

—Buen consejo —agregó el dueño.

—¿Y ya no se oyó nada en la casa de la vecina? —quiso saber la dueña.

—Nada. Por la ventana vi tres hombres que se subieron en un camión cargado con cajas y aparatos.

—¿Llegó la policía?

—Sí pero mucho tiempo después de que los ladrones se habían ido. También vino el apoderado y fue a hablar con la vecina.

—¿Y que dijo la vecina?

—Que no le hicieron nada a ella, pero que le robaron todo el dinero y las joyas que tenía en una caja, y que también se llevaron todos los aparatos eléctricos. Dijo que el robo fue rápido y que los ladrones como que ya sabían dónde estaba todo. Ella sospecha de la sirvienta, quien a lo mejor dio a los ladrones información sobre el dinero y las joyas, y cuándo era la mejor hora para el asalto.

—A saber cuánto le robaron.

—Según el apoderado, la vecina tenía veinte mil dólares en efectivo que sus hijos le habían mandado de Houston, y los ladrones se lo robaron.

—¡Veinte mil dólares! —se admiró la señora—. Pobre gente. Tanto trabajo que cuesta sobrevivir y ahorrar un dólar aquí en Estados Unidos, sólo para que se lo roben, eso es injusto, Dios mío.

—Sí —agregó el vigilante—, es injusto. La vecina dijo que eran los ahorros de diez años de trabajo de sus hijos.

En realidad, él no tenía ni la más mínima idea de cuánto dinero representaban veinte mil dólares, pues lo poco que había ganado en su vida se le había esfumado de las manos como por arte de magia, sin permitirle un pequeño ahorro. La supervivencia de él y de los suyos lo consumía todo y siempre le hacía falta para otras cosas necesarias como ropa y calzado. Alguna vez pensó ahorrar para comprarse una casita para que su mujer y sus hijos vivieran como seres humanos, y no como animales en una choza de lata y de cartón, pero eso sólo fue un sueño que permanecía pendiente para cuando se sacara la lotería. Si no fuera porque en su pueblo remoto su anciana madre cuidaba a los hijos para que él y su mujer pudieran trabajar en la ciudad, de seguro él y su familia ambularían por la calle sin trabajo y sin techo . . .

—Por eso usted vigile la casa y no deje entrar a nadie.

—Sí, señor.

—Por favor no se le olvide regar las plantas y cortar la grama.

—No, señora.

—Nosotros llegaremos en diciembre.

—Muy bien, aquí los espero.

—Por cualquier emergencia llame al apoderado o a la policía si él no contesta.

—Sí, señora.

—Adiós.

—Adiós.

• 4 •

Otro domingo había llegado, y el vigilante esperaba a su mujer. Sentía hambre y esperaba noticias de sus hijos y de su madre. Su mujer representaba la conexión con el mundo exterior, del cual últimamente él se había separado por razones de trabajo. Sus hijos, de tres, cinco y siete años, eran su preocupación mayor y tenía varios meses sin verlos. Quizá en diciembre, cuando los dueños vinieran de

Estados Unidos, él podría visitar su pueblo, pasar con ellos la Navidad y comprarles unos juguetes para hacerlos felices por unos días.

Escuchó el timbre de la puerta y se dirigió hacia la entrada con mucho regocijo. Después de observar por el orificio y comprobar que se trataba de su mujer, abrió la puerta.

Su mujer entró con tanto ímpetu que se lo llevó al encuentro, lo tumbó en el suelo y ella le cayó encima con un grito desesperado. Acto seguido, entraron tres hombres con pistola en mano y cerraron la puerta. Uno de ellos gritó:

—¡No se muevan o se mueren!

—La llave del garaje, rápido —ordenó un hombre.

El vigilante sacó las llaves de uno de sus bolsillos.

—Vos abrí, pronto —le ordenaron.

Un camión entró y los hombres empezaron a cargar con todo lo que encontraban a su paso. Desprendieron los ventiladores del techo. Hicieron que el vigilante y la mujer ayudaran con las cajas que contenían el televisor y otros aparatos nuevos, mientras que los otros cargaban con los finos muebles. La casa quedó vacía por completo. Registraron al vigilante y a la mujer y les quitaron el poco dinero que llevaban consigo. Luego les ordenaron tirarse boca abajo en el piso y que no se movieran. Subieron al camión y se marcharon. El robo fue hecho con destreza y rapidez.

La mujer fue la primera en levantarse y fue a cerrar la puerta del garaje. El vigilante hizo dos llamadas telefónicas, una al apoderado y otra a la policía. La autoridad llegó primero, luego el apoderado, después la vecina cuya casa había sido saqueada dos semanas antes.

La policía reunió la información del caso, llenó todos los expedientes de rigor y se marchó. Se fueron también el apoderado y la vecina. El vigilante y su mujer quedaron solos, atemorizados y en silencio, en aquella casa completamente vacía.

La mujer se marchó temprano porque esa tarde tenía que servir una cena de invitados en la casa de su patrona.

El vigilante regresó a la rutina, la que se volvió más desoladora que de costumbre. Al rato, el fuerte sonido del teléfono rompió el silencio. Él fue a contestar con gran nerviosismo.

—¿Aló?

—Aló. ¿Cómo está la casa?

— . . .

# El muro

El férreo muro toca el cielo y la tierra
obstruye a la luna y al sol
pero no detiene los calcinantes rayos
de la miseria.

Su extrema longitud une océanos
pero separa madres de hijos
hermanos de hermanos
humanos de ideales.

Está vigilado y militarizado
pero día y noche
es burlado por el hambre.

Es largo, alto y ancho
pero su monstruosidad
es incapaz de contener
el tsunami del dolor
el huracán de la opresión
el terremoto de la existencia
el diluvio de la esperanza.

# Odisea del mar

*A Arturo Salcedo,*
*creador de algunas olas*
*de este mar de palabras.*

• 1 •

CIERTO DÍA DE SEPTIEMBRE, un grupo de 109 personas zarpó de Puerto Príncipe, Haití, en una pequeña y abollada embarcación de madera con destino a Florida, Estados Unidos, huyendo de la persecución política del régimen dictatorial de su país.

La claridad de la mañana y el aspecto tranquilo del mar auguraron a la tripulación, dirigida por un viejo pescador llamado Jean Claude, un viaje sin mayores sobresaltos.

Si todo se desarrollaba dentro de lo normal, el viejo calculaba que en menos de tres días recorrerían los 1.250 kilómetros de distancia aproximada entre Puerto Príncipe y Florida.

El pescador amonestaba a los pasajeros a mantenerse quietos dentro del bote, restringir el movimiento de los niños, y evitar tocar el agua con las manos para no atraer a los voraces tiburones que seguramente pronto empezarían a rondar la embarcación.

Jean Claude bautizó el bote con el nombre de *Fleur de mai*, en memoria del *Mayflower*, o *Flor de Mayo*, el barco en que los peregrinos ingleses llegaron a Norteamérica en 1620, huyendo de la persecución religiosa en su país. Trescientos setenta años después, aterrorizados también por la persecución, muchos haitianos se aventuraban diariamente en estropeadas embarcaciones hacia esas costas.

• 2 •

A diferencia de su hermano Jean Claude, Phillippe Auguste sentía aversión al mar. Nunca había siquiera tocado sus aguas. Sin embargo, así como aquél era hábil marinero, él era diestro radioaficionado. En un cuarto de su casa instaló un estudio con aparatos receptores. Su pasatiempo favorito era proyectar las antenas al inmenso espacio para entregarse a la pesca de las noticias del mundo.

Los sucesos de su interés por ese entonces eran los relacionados con el creciente éxodo de sus compatriotas a Estados Unidos. La situación política y económica en su tierra eran sumamente desesperantes, y el mínimo margen de esperanza por una vida mejor representaba gran aliciente para miles de haitianos que, como su hermano Jean Claude, se lanzaban al mar.

Cierta noche, Phillippe Auguste captó la siguiente transmisión de Radio Internacional:

La interceptación y el rechazo de embarcaciones cargadas de refugiados haitianos en busca de asilo político han desatado un tremendo oleaje de comentarios en la prensa internacional, y de encarnizados debates en círculos políticos estadounidenses, incluso en el mismo Congreso. Precisamente allí, en una audiencia en que se discutía la política norteamericana hacia los refugiados haitianos, un congresista demócrata de Nueva York increpó al Comisionado del Servicio de Inmigración y Naturalización, de la siguiente manera:

"¿No cree usted que si la gente de estos botes viniera de Irlanda les aplicaríamos una política diferente, a pesar de la ley? Si la misma situación existiera allá con estos andrajosos y enfermos . . . duda usted, siquiera por un instante, que Estados Unidos los retornaría a Irlanda?"

El Comisionado contestó:

"Señor congresista, esa pregunta es incluso ofensiva. Nosotros rechazamos a todo el que está supuesto a serlo de acuerdo con la ley de Estados Unidos".

Pero, justamente, el significado de tal ley es también el centro de disputas en la corte, entre el presidente norteamericano dispuesto a demostrar su dureza hacia los inmigrantes y los defensores de los refugiados haitianos, quienes argumentan que su derecho de asilo está siendo sacrificado en favor de políticas domésticas . . . La indiferencia hacia botes cargados de inmigrantes es notoria, especialmente hacia refugiados provenientes de Haití. Muchos países han adoptado métodos restrictivos y hasta el uso de la fuerza, para evitar que desembarquen en sus costas . . .

• 3 •

El viejo Jean Claude conocía muy bien los tiburones. En uno de sus tantos viajes de pesca en alta mar se había enfrentado a una enorme bestia azul. Esta embistió al bote y lo volcó. Siete pescadores cayeron al agua y el tiburón los trituró en cosa de minutos. Jean Claude fue el único superviviente, no sin antes perder una de sus manos en las fauces de la bestia.

Los tripulantes escuchaban atentamente aquella historia y las indicaciones del experimentado marinero. La embarcación, mientras tanto, se deslizaba sobre las azules, tibias y cristalinas aguas del Caribe.

Exactamente cuarenta y cinco minutos después de haber zarpado, el motor hizo un extraño ruido y se detuvo. Jean Claude y otros estuvieron examinándolo por media hora sin conseguir repararlo. El viejo anunció entonces la mala noticia:

—El motor se fundió. Es inservible.

Luego agregó:

—Pero no se inquieten. Pronto seremos rescatados por alguno de los tantos buques turistas que circulan por el Caribe.

La barcaza quedó a la deriva sobre aquel mar infestado de tiburones. El recuerdo de la bestia azul causó a Jean Claude intenso terror pero, pensando en el bienestar de los pasajeros, se esforzó por disimularlo.

• 4 •

Radio Internacional:

La operación de interceptación de inmigrantes haitianos se inició en 1981, cuando el presidente norteamericano firmó un acuerdo con el dictador haitiano, el cual autorizaba a los guardacostas a detener y a intervenir naves procedentes "de naciones extranjeras con las cuales tenemos convenios", y a "regresarlas con sus pasajeros al país de origen cuando exista una razón para creer que se ha cometido una ofensa en contra de las leyes de inmigración de Estados Unidos . . . previniendo que a ningún refugiado se le retornará contra su consentimiento".

Para el décimo aniversario de la operación, justo un día antes del golpe de estado de septiembre de 1991 en Haití, un total de 24.559 haitianos habían sido interceptados en aguas internacionales.

Durante el primer mes del golpe de estado, el flujo de refugiados se detuvo. El democráticamente electo y depuesto presidente de Haití retornaría del exilio acaso el siguiente día, pregonaban los rumores que circulaban en Puerto Príncipe y en el resto del país. Pero el mandatario no regresó. Al contrario, el ejército haitiano y las fuerzas de seguridad condujeron intensa persecución de sus adeptos. Amnistía Internacional reportó que "cientos de personas habían sido brutalmente ejecutadas o detenidas sin motivo y torturadas. Muchas más habían sido brutalmente atropelladas en las calles . . . Los militares habían sistemáticamente perseguido a los partidarios del presidente . . . y a los residentes de los sectores pobres de Puerto Príncipe . . . y de las zonas rurales donde la mayoría lo apoyaba".

• 5 •

El *Fleur de mai* flotaba sin dirección. El cielo azul y despejado se llenó de nubes oscuras, presagio de tormenta. Jean Claude decidió bajar las velas, así el bote ofrecería menos resistencia al viento que de pronto empezó a soplar con fuerza.

"Esto huele a huracán", pensó.

El viejo poseía excelente olfato marítimo. De pronto las pacíficas aguas se volvieron tumultuosas y amenazaban con volcar la barcaza. Los tripulantes gritaban oraciones. Los niños lloraban. Jean Claude trataba de consolarlos.

—¡Tómense de las manos para no caer en el agua! —gritaba.

Pero la frágil nave fue sacudida violentamente. Una mujer salió disparada por los aires, cayendo al mar y desapareciendo entre los tumbos vertiginosos. Alguien quiso tirarse para ir a buscarla. Los gritos de Jean Claude lo detuvieron:

—¡No te lances al mar! ¡Tú también morirás!

El hombre dudó por unos segundos pero luego, impulsado por la desesperación, se zambulló en el agua. Ni él ni la mujer volvieron.

La tormenta arreció y el viento soplaba con toda la furia del huracán. El sol desapareció y todo, incluso el tumultuoso mar, tenía color gris oscuro. Los tripulantes rodaban por el piso del bote inundado por las enormes olas. Quince de ellos se ahogaron. Jean Claude se amarró a la proa. Impartía instrucciones a gritos. Pocos escuchaban y nadie obedecía. El huracán sembró su reino de terror.

Cuando el ambiente recobró la calma el número de pasajeros había bajado a 92. Empezaron a acomodar sus mojadas pertenencias y a sacar el agua del bote.

—¿Dónde estamos? —preguntó alguien con temor.

—Quién sabe —dijo Jean Claude.

—Quiera Dios que ya estemos cerca de Estados Unidos —comentó una mujer.

Lo cierto era que la majestuosa fuerza del huracán los había llevado en dirección totalmente contraria a la deseada, y la embarcación se mecía desorientada a merced del Atlántico. Anocheció y en la oscuridad consumieron las pocas provisiones disponibles.

Al mediodía siguiente, un crucero de guerra los divisó y les suministró alimento. Los vientos que usualmente empujaban la corriente marítima hacia las costas de Estados Unidos habían mermado.

Al cabo de una semana pasó cerca de ellos un barco de transporte anfibio, el cual los abasteció con fruta, alimentos enlatados y arroz, agua potable y mapas de navegación.

Posiblemente fueron localizados por cerca de ocho buques de diferentes países a diario, pero ninguno ofreció rescatarlos. En su desesperación por alcanzar naves a la vista, hombres, mujeres y niños se lanzaban al agua, sólo para terminar ahogados y devorados por los feroces tiburones. Así perecieron 58.

• 6 •

Radio Internacional:

En octubre, la Comisión Interamericana para los Derechos Humanos de la Organización de Estados Americanos, OEA, urgió a Estados Unidos que por razones humanitarias "suspendiera su política de intercepción de haitianos en busca de asilo". No deben ser retornados, insistía la OEA, "hasta que la situación política en su país se haya normalizado, porque sus vidas peligran".

Estados Unidos retiró su embajador en Haití y prohibió a sus ciudadanos viajar a ese país.

Para noviembre, miles de haitianos huían en botes. Finalmente, el gobierno norteamericano parecía renuente a retornar los refugiados. Sin embargo, tampoco se proponía traerlos a tierra en medio de una campaña presidencial, reteniéndolos en los barcos guardacostas a pesar de la acumulación extrema.

Días después los guardacostas anclaron en la base de Guantánamo, Cuba, en donde se improvisaron tiendas de campaña para los refugiados . . .

• 7 •

A fines de octubre la tripulación del *Fleur de mai* se había reducido a 29. Pescadores venezolanos finalmente la rescataron.

Así concluía la increíble odisea haitiana de 36 días en el océano Atlántico en la que, para sobrevivir, se comieron a cinco de sus compañeros.

El siguiente testimonio apareció en un periódico de Caracas:

En medio de nuestra desesperación y hambre, decidimos que para sobrevivir sería necesario alimentarnos de nuestros compañeros . . . Nosotros creemos en Dios y no somos caníbales, pero la desesperación por no morir lo empuja a uno a hacer cosas horribles . . . Entre todos decidimos el orden en que cada uno de nosotros iba a morir para saciar el hambre del resto. Todos estuvimos completamente de acuerdo . . . El primer señalado se encontraba demasiado débil debido a la deshidratación.

—Esperen hasta mañana —nos rogaba. Para entonces ya habré muerto del hambre y no tendrán que matarme.

Pero estábamos muy desesperados y no le hicimos caso. Lo agarramos de los pies y lo zambullimos de cabeza en el agua hasta ahogarlo. Recuerdo que se llamaba Pierre Paul. Tendría cerca de 30 años . . . Venía con su familia pero toda, excepto él, murió ahogada en el mar cuando nos azotó el insólito huracán . . .

Lo mismo hicimos con una joven de 20 años. Su cuerpo, como el de los demás, lo desmembramos, lo pusimos a hervir y lo comimos. Los dos muchachos de 12 y 15 años se murieron del hambre antes de que los comiéramos. Pero el de 11 opuso resistencia y entonces nos vimos obligados a ahogarlo en el mar.

Según su voluntad, los sobrevivientes fueron puestos en un barco de pasajeros con destino a Estados Unidos, donde solicitaron asilo político.

Inicialmente fueron trasladados a Guantánamo. Tiempo después, en base de su testimonio de persecución política y de la tragedia sufrida para llegar a Estados Unidos, aquel grupo de sobrevivientes fue parte de los pocos refugiados haitianos a quienes les fue concedido el tan ansiado asilo político.

Jean Claude y su mujer, una fuerte y apuesta haitiana que conoció en Florida, tomaron residencia en una pequeña casa en Key Largo. Con grandes sacrificios económicos adquirió Jean Claude una lancha y pescaba a su antojo la mayor parte del día.

A pesar de su relativa bonanza y tranquilidad, Jean Claude nunca olvidó su tierra ni su hermano. Con el tiempo logró ahorrar ciertos fondos y envió a Phillippe Auguste un receptor de última tecnología, para que también él progresara en su pesca espacial.

—Con todo lo que te ha sucedido, en el mar es donde menos deberías estar —comentó cierta vez su mujer.

—El mar es una cosa mágica —había dicho el manco Jean Claude—. Desde la primera vez que toqué sus aguas y lo navegué, se posesionó de mi cuerpo y de mi alma para siempre . . . Mi hermano, estoy seguro, pensará lo mismo. Él navega el espacio desde su estudio. Yo prefiero remontar las olas del océano. Ellas me trajeron aquí. Algún día también me regresarán a mis costas de origen. Yo soy hijo del mar.

# La tierra del poeta

HACE ALGUNOS AÑOS murió un poeta que conocí en la humareda apestosa de un café barato de la ciudad. No me impresionó su barba desordenada, su brillante calvicie, su pigmea estatura, su tartamudeo ni sus vivaces ojillos de serpiente, pero sí, y para siempre, sus luminosos poemas que con palabras cotidianas, combinadas como por arte de magia, reconstruían un mundo de esplendor, cuna de aquel excelso escritor.

Extraía poemas de su abultado morral, de los bolsillos de la camisa cuadriculada, del desteñido saco y del flojo pantalón, escritos con pasión y letra abigarrada sobre servilletas manchadas de vino, páginas de libretas descuadernadas y aún sobre materiales hechos no exactamente para la escritura como cuero, aluminio y madera. Los versos eran su equipaje, su ropa, su piel, su sangre.

Cuando esa noche cerraron el café continuamos leyendo en el parque hasta la madrugada, rodeados de vagabundos, prostitutas y personajes de aspecto extraño, quienes acaso creyeron que éramos dementes y nos dejaron tranquilos.

Nos reunimos muchas veces más. Deleitándonos con sus poemas, multiplicamos el tiempo, la hermandad, la vida y los sueños. Sus versos poseían la extraña característica de cristalizar un momento, un dolor, una alegría. Emociones que recobraban la vida con el simple acto de la lectura.

Yo me había tomado la libertad de enviarles a mis familiares algunos poemas sueltos de aquel oscuro poeta. A mi madre le curaron el dolor de cabeza. A mi hermana le consolaron la pérdida de su amante. Mi tío jura que la lectura de aquellos versos le mermó la artritis. En mi caso personal, aquella poesía me deleitaba. Sentía que me extendía la vida y hacía mi realidad menos difícil.

Sin embargo, aquellos versos que enriquecían la existencia de otros, en nada aliviaban el mal que padecía el poeta: una nostalgia profunda que lo atormentaba de día y de noche, que lo mantenía en perenne vigilia, privándole del mínimo descanso necesario para renovar las energías vitales para el diario vivir. Cuando conocí al escritor, él se encontraba en los últimos meses de existencia, y era evidente que la poesía era su único aliento y sustento de vida. Un año después falleció, sumamente debilitado, asfixiado, sin las mínimas fuerzas para respirar.

Incineré su cuerpo y sus poemas, y lancé las cenizas al mar como fue su voluntad.

Tiempo después, movido por la ausencia de aquel gigante de los versos, con emoción viajé a su patria para observar con mis propios ojos las maravillas del lugar que con tanto amor poetizó, con la esperanza de encontrar allí algo de él que resucitara su poesía y nuestra truncada amistad. En mi mente aún resonaban con fuerza y vitalidad las bellas y profundas metáforas y vibrantes imágenes de la tierra que el poeta creó encerrado en la férrea prisión de la distancia impuesta por un largo y voluntario exilio. En aquel viaje yo esperaba descubrir la razón del destierro del poeta, el que él sobrellevó a pesar de que la lejanía de su amado lugar de origen le causaba tan profunda melancolía, y eventualmente la muerte.

Arribé a la tierra del artista. Mis ojos y mi alma se desconcertaron. Era árida, inhóspita, despoblada. Un territorio fantasma donde ambulaban perros sarnosos y algunos seres humanos entregados a su soledad y abandono. Pregunté a un anciano si conocía al poeta. Pronunció su nombre correctamente, me miró con sus ojos enormes, como sorprendido porque alguien inquiriera sobre aquella persona y, sin ocultar su indiferencia, dijo jamás haberlo escuchado. Juró que aquel lugar miserable no era cuna de poetas sino de pigmeos y caníbales.

Olvidé aquella despiadada versión de la patria del poeta. Preferí recordar la que antaño me reveló su encantadora poesía, en aquel café ahumado y barato de la ciudad.

De vez en cuando regreso al café, bajo la excusa de saborear un vaso de vino, pero sé que vengo en busca del amigo perdido, de quien guardo grandes recuerdos, y por desgracia un solo poema que se salvó del fuego de puro milagro, el que lastimosamente no le hace el honor que se merece porque no es su mejor trabajo. Qué ironía. ¿Habrá sucedido lo mismo con otros escritores cuya voluntad fue que su obra fuera destruida después de su muerte? Virgilio deseó que la *Eneida* pereciera entre las llamas; Kafka quiso que toda su obra inédita corriera el mismo destino. ¿Fueron sus mejores obras las que sobrevivieron? ¿Actuaron con justicia Augusto y Max Brod al desobedecer la voluntad de Virgilio y Kafka?

Yo tengo la conciencia limpia; cumplí los sagrados deseos del poeta al pie de la letra. En el caso del único poema existente de él, no me interesa si es excelente o mediocre. Eso lo decide la Fama, a quien Virgilio en la *Eneida* describe de la siguiente manera:

> La más veloz de todas las plagas, mensajera de Júpiter, es una deidad de extraña forma, con cien bocas, cien lenguas, cien orejas y grandes alas, entre cuyas plumas tiene otros tantos ojos vigilantes siempre. De noche se desliza entre las sombras, volando entre cielo y tierra, y de día se instala en las altas torres de las ciudades, para pregonar tanto lo bueno y verdadero como lo falso y lo malo. Algunos poetas la representan como una grácil doncella de flotante túnica con una trompeta en la mano. Estos poetas la pintan así para halagarla y que lleve a todas partes noticias de ellos y de sus obras. Pero la Fama es caprichosa, y muchas veces procede al revés de lo que pudiera esperarse.

Para mí, sin embargo, la obra sobreviviente de mi entrañable amigo representa algo vivo de él.

> Patria, voy por el mundo
> errante y vagabundo
> lejos de ti, de tu dulce regazo
> tras la pista de mi destino

en círculos
como un perro persiguiendo su cola.

Patria, en mi largo exilio
me asalta tu recuerdo
que cuelga de un frágil hilo
pendiente de una vaga imagen
de algo que pudo ser.

¿Existes todavía
o eres ya una ficción?

A veces pienso que eres como una madre
que ha esperado mil años
el regreso de su hijo
en el puerto del olvido.

Aferrada al muelle de la esperanza
derramas una lágrima de amor
por cada barca que vuelve vacía
sin apartar tu mirada triste
de las azules aguas de alta mar.

Patria, a veces eres un sueño
otras, una pesadilla
en que mis hermanos te deshonran
se devoran los unos a los otros.

Patria,
algo me dice que retornaré.
No sé cómo ni cuándo.
Si bajo el escudo de la derrota
o sobre la carroza de la victoria.

Tu sonrisa borrará mis pesares.
Tu amor cicatrizará mis heridas.
Acogerás en tu seno mi trajinada existencia.
Tú volverás a ser madre.
Yo volveré a ser hijo.

Cierto día recibí una llamada telefónica de un diplomático del
país del poeta, quien expresó que su gobierno estaba interesado en

ofrecer un homenaje póstumo al artista de los versos, para el cual solicitaban mi presencia, ya que reconocían que yo había sido uno de sus allegados más íntimos.

Pregunté al funcionario cómo había adquirido esa información, mis datos personales y el número de teléfono. Él respondió que su gobierno lo sabía prácticamente todo; que en el mundo actual era muy fácil adquirir toda clase de información sobre cualquier persona, viva o muerta. Le dije que el ciudadano tiene derecho a su privacidad. En tiempos modernos, ni el derecho ni la privacidad existen, comentó.

Admito que la idea del homenaje me causó verdadera sorpresa, no porque el poeta no lo mereciera, sino porque era la iniciativa de un gobierno, las que a veces son inspiradas por motivos ulteriores. Pero se trataba de un reconocimiento a la obra de mi amigo del alma, por lo que me era imposible rechazar aquella invitación y viajé por segunda vez a la tierra del poeta.

Esta vez sucedió todo lo contrario de mi anterior visita. Por los medios de comunicación se anunciaba con mucho jolgorio el homenaje a mi difunto amigo, ahora denominado "el poeta nacional" y cuya obra, para mi mayor sorpresa, sería publicada en preciosos volúmenes de enormes tiradas y distribuida de forma gratis durante el reconocimiento oficial, el cual se llevaría a cabo en un parque colmado de bellos jardines que rodeaban a una escultura dedicada al poeta. Allí estaba la imagen del artista esculpida en bronce para la posteridad; la barba desordenada, la brillante calvicie y los vivaces ojillos de serpiente, con el inolvidable morral lleno de versos al hombro.

Durante mi breve discurso en memoria del poeta me invadió la emoción y las lágrimas me empañaron los ojos, por lo que tuve que suspenderlo en varias ocasiones. Los aplausos del público me instigaron a continuar, y decidí entonces leer Patria, lo cual agradó a la esposa del presidente de la república, mujer bella, joven e inteligente quien, durante la recepción posterior al homenaje, me rogó que le obsequiara aquel poema. Lo copié en otra cuartilla para ella, porque el que yo poseía estaba escrito con el puño y la letra del poeta y representaba para mí una verdadera joya sentimental.

Aproveché la breve tertulia con la primera dama para preguntarle sobre el origen de la obra que se había publicado y distribuido. El ministro de cultura, quien la acompañaba, expresó que procedía de un miembro de la familia del poeta, a quien éste le enviaba periódicamente copias de sus versos. Para no echar a perder aquel grandioso homenaje, opté en ese momento no revelar a aquellas personas dos cosas: que yo había incinerado la obra del poeta como él lo había deseado, y que en mi lectura de los extensos volúmenes publicados por el gobierno yo no había reconocido ningún poema de mi amigo, tampoco su particular estilo y potencia creativa. Nada de eso había encontrado yo en los trabajos publicados en la tierra del poeta. Eran más bien versos de tercera clase, que con frases trilladas ponderaban a la patria, al pueblo y a los símbolos nacionales. Fue la primera vez que resentí haberle hecho caso a mi amigo poeta y haber entregado al fuego sus creaciones. Porque la posteridad lo recordará no como el brillante poeta que fue, sino como el escritor oficial y mediocre que el gobierno de su tierra creó. Recordé las proféticas palabras de Virgilio: "La Fama es caprichosa, y muchas veces procede al revés de lo que pudiera esperarse".

# El plan

• 1 •

EN UN REFINADO RESTAURANTE, el mesero se acercó a una mesa que ocupaban dos personas, depositó sobre el mantel blanco unas bebidas y, con una amable sonrisa, anunció:

—Cortesía de aquel caballero —al tiempo que señalaba discretamente hacia una mesa cerca de la pared.

Ellos aceptaron la deferencia con un "Gracias" y un "Muy amable".

El mesero hizo lo mismo con los otros clientes que en ese momento se encontraban en el restaurante, y todos empezaron a preguntarse quién sería aquel hombre en cuya mesa había una botella de vino y bocadillos, que bebía a solas y se complacía en obsequiar bebidas.

Cuatro hombres que departían en una mesa cerca de él le agradecieron la cortesía, algo a lo que no estaban acostumbrados, pues se trataba de un acto que raras veces se veía en aquella ciudad después de la guerra civil, sobre todo en restaurantes de lujo como aquél.

—A su salud —les respondió el individuo.

El propietario se acercó a él y lo saludó de manera muy cortés. Quiso intercambiar unas palabras pero el sujeto sólo le correspondió con una sonrisa y al preguntarle su nombre le contestó "José".

El dueño se retiró mientras se preguntaba quién podría ser el tal José, a quien nunca antes había visto en su negocio, y esperaba que tuviera dinero suficiente para cubrir lo que obsequiaba, el fino vino francés y los delicados platos que él consumía.

• 2 •

La verdad era que José no era ningún extraño en aquel pueblo. Había nacido en un caserío no muy lejos de allí. Mientras saboreaba el delicado vino y los bocadillos típicos, su mente voló a los tiempos en que, a la joven edad de veinticinco años, la suerte lo había empujado a emigrar. Veintitrés largos años habían transcurrido desde entonces, pero las circunstancias de su partida latían en su recuerdo con tal vehemencia como si hubieran ocurrido ayer.

Era la época de la guerra civil. Una mañana, el caserío en que vivía con su hijo, hija, esposa, madre y padre, fue invadido por las tropas del gobierno, las que de inmediato se enfrentaron en un enfurecido combate con las fuerzas rebeldes que pasaban por el pueblo camino a su base en la montaña.

José, quien estaba ausente al principio de la invasión, cuando regresó encontró su casa incendiada y a toda su familia muerta en el patio. En su desesperación, corría de un lado a otro, gritaba y pedía auxilio. Una bala lo hirió y lo hizo caer inconsciente. Cuando cesó el combate, el pueblo entero había sido destruido y la mayor parte de los habitantes estaban muertos, otros habían huido.

Una brigada de enfermeros recogió a los pocos supervivientes y los trasladó al hospital. El gobierno dio orden de captura para enjuiciarlos bajo el cargo de subversión. La Cruz Roja logró que la embajada suiza les concediera asilo político, bajo cuya protección viajaron a ese país, donde se recuperaron y se les otorgó la oportunidad de establecerse.

Un rico empresario, dueño de una cadena de hoteles, dio empleo a José, y éste se entregó de alma y corazón a la nueva vida y trabajo. Con el tiempo obtuvo la confianza del patrón y fue un excelente administrador de sus empresas. El suizo llegó a desarrollar hacia José gran simpatía por su intenso y honesto trabajo e incuestionable fidelidad, lo hizo su hombre de confianza y, eventualmente, miembro de su íntimo círculo familiar. José le recordaba a su padre cuando joven, quien emigró de Suecia a Suiza sin un centavo en el bolsillo y sin conocer a nadie en la nueva tierra, pero que con arduo trabajo e inteligencia descolló en la industria hotelera hasta lograr adquirir un pequeño hospedaje y tiempo después fundar una cadena de selectos hoteles. Además de la fortuna, el suizo había heredado de su padre sus sentimientos humanitarios, y creía firmemente que su dicha crecía en proporción directa al bien que él hacía al prójimo, sobre todo a los pobres.

• 3 •

Otras gentes respetables del pueblo llegaron al restaurante, entre ellas don Fabio, el alcalde, hombre obeso y bigotudo, acompañado de su esposa, mujer de rostro rudo y serio.

Vino luego don Clemente, personaje alto y blanco, el más rico del lugar, cortejando a una bella muchacha mucho más joven que él.

Minutos después asignaron una mesa al general Justiniano, hombre pequeño y delgado, de rasgos faciales severos, y a su mujer, muchacha risueña de modales resueltos quien de inmediato ordenó que le sirvieran un trago del mejor *whiskey*.

José encargó al mesero que sirviera a todos los recién llegados por igual la bebida y el aperitivo de su predilección, lo cual los impresionó, aceptaron la atención de buena gana, y alzaron sus vasos hacia José. La esposa del general se lo agradeció a grandes voces.

Asumían que aquel individuo se trataba de algún dichoso que había ganado la lotería, o recibido una herencia y deseaba compartir con todos su buena suerte. Otros estaban convencidos de que era un emigrado a Estados Unidos, un "hermano lejano" que regresaba con los bolsillos repletos de dólares, y se daba el gusto de emborrachar a medio mundo para hacer alarde de su bienestar adquirido en el Norte.

José les correspondía el brindis con una sonrisa y bebía con placer, pues todo aquello le causaba un extraño regocijo. Bajo las curiosas miradas de los presentes, se levantó y fue al baño. Regresó y continuó deleitándose con los exquisitos aperitivos, tomando pequeños sorbos de vino y obsequiando bebidas.

• 4 •

Con el transcurso del tiempo, su predisposición al intenso trabajo y el patrocinio y la enseñanza de su protector, José dominó a fondo las técnicas de la industria hotelera, aprendió francés, alemán e italiano, los tres idiomas de Suiza, y en su tiempo libre se educó en las artes y las elegantes costumbres europeas, hasta convertirse en un refinado caballero.

Cuando el suizo estaba por morir, veinte años después de que lo tomó bajo su bondadosa tutela, lo llamó a su lecho y le reveló que le heredaría uno de los hoteles más selectos del país, bajo la condición de que ocupara su fortuna para hacer el bien a los pobres en memoria de su protector, algo que José le prometió entre lágrimas de profunda tristeza y agradecimiento.

Tiempo después, debido a las buenas experiencias adquiridas de su difunto padrino y su excelente tino personal en los negocios, la herencia se multiplicó, lo cual hizo de José una persona acaudalada e influyente.

Como si toda aquella bienaventuranza fuera poca, una de las bellas hijas de su antiguo protector, quien hasta la muerte de su padre se había dedicado a los cuidados del viejo, aceptó casarse con él, lo cual llenaría por fin el vacío dejado por la pérdida de su primera familia, pues hasta entonces José no dejaba de llorar por las noches, y le embargaba un enorme sufrimiento a pesar de su riqueza.

Sin embargo, antes de contraer matrimonio, José pensó que no sería completamente feliz si no llevaba a cabo el plan que había fraguado desde el momento que puso pie en Suiza: Regresar algún día al pueblo que lo vio nacer y construir una tumba a su familia muerta. Aprovecharía el viaje para, entre otras cosas, hacer obras de caridad en memoria de su padrino, y ajustar ciertas cuentas pendientes.

Por eso había regresado a su tierra al cabo de largos años de ausencia y se encontraba en aquel restaurante donde, para su mayor satisfacción, nadie lo reconocía. Sonreía de buena gana, pues pensaba que la ejecución de su plan marchaba sobre ruedas.

• 5 •

En el restaurante, el alcalde comentó en voz alta que en días recientes en el pueblo se habían presenciado hechos bastante singulares. Habían visto en la plaza a un hombre que repartía ropa, zapatos y dinero a los pobres, y que las monjas del hospicio de huérfanos estaban felices porque un desconocido donó fondos suficientes para ampliar la capacidad del orfanato y sostenerlo por los próximos veinte años.

A don Clemente, el rico, le sorprendió escuchar aquellas revelaciones, y se preguntó si aquel individuo se animaría a comprarle los terrenos que puso a la venta hace mucho tiempo pero que nadie compraba por falta de dinero.

Aquellos dominios habían sido usurpados a los campesinos quienes, huyendo de la violencia de la guerra, habían emigrado temporalmente hacia otras regiones, y que a su regreso se encontraron con que sus posesiones habían sido confiscadas, y sólo podrían cultivarlas mediante un pago mensual a don Clemente, el nuevo dueño según las escrituras legales extendidas a él por el alcalde, don Fabio.

Don Clemente decidió averiguar la identidad de aquel individuo lo más pronto posible para proponerle la venta de las tierras que nunca fueron de él.

Al general Justiniano no le emocionaron para nada los relatos del alcalde, pues tenía entre manos asuntos que le causaban gran preocupación. Y no era para menos, esa mañana recibió por correo certificado un documento enviado por la Corte Internacional de Ginebra, en la que se le acusaba de crímenes contra la Humanidad, específicamente, por haber comandado a las tropas, veintitrés años atrás, a invadir el caserío y arrasarlo por considerarlo "un nido de subversivos". El instrumento detallaba las propiedades destruidas y los nombres de más de trescientos muertos, víctimas inocentes de la invasión. Adjunto al escrito se encontraba una orden de extradición, con el lugar y la fecha en que se le enjuiciaría formalmente.

El acta fue asimismo distribuida ampliamente a los medios de información nacional e internacional. Ese día, precisamente, la fotografía del general Justiniano, junto a los cargos y la orden de extradición, apareció en los periódicos locales, y era tema de abierta discusión en programas de radio y televisión.

Uno de los clientes que estaban presentes en el restaurante en aquel momento se atrevió a preguntarle al general si obedecería la orden de la corte internacional, y el oficial, obviamente contrariado, prefirió tragarse las palabras, acompañadas con un largo trago de *whiskey* que el amable desconocido le había proporcionado.

José escuchaba aquellos y otros comentarios en el restaurante mientras saboreaba con tranquilidad el suave vino francés. Pensaba que los esfuerzos, el tiempo y el dinero invertidos en la investigación de la masacre de los habitantes del pueblo habían surtido efecto, pues aunque el enjuiciamiento del general Justiniano no devolvería la vida de tanta gente y la de su familia, acaso serviría de escarmiento a los que abusaron del poder, y sacaría a la luz pública las atrocidades cometidas por representantes del gobierno contra personas inocentes y débiles. José había movido cielo y tierra en Suiza para que aquel escrutinio se hiciera a fondo, para que la Corte Internacional de Ginebra pasara una resolución legislativa y aceptara ponerla en vigor. Faltaba ver los resultados. Pero, al menos, pensaba, se conocería en todo el mundo la verdad detrás de los hechos.

• 6 •

Dos agentes de la policía, acompañados por el juez, entraron en el restaurante. El propietario intentó detenerlos y averiguar el propósito de su presencia, pero los tres hombres se fueron directo a la mesa que ocupaban el alcalde y su esposa y, sin mayores preámbulos, el magistrado anunció:

—Señor alcalde, tengo órdenes terminantes de parte del gobierno central de arrestarlo.

—¿Cómo dice? —se asustó la esposa del alcalde.

El juez declaró:

—Señor alcalde, queda bajo arresto por, entre otros cargos, malversación de fondos municipales y robo de tierras.

El alcalde no se inmutó. La esposa, excitada al extremo de la ira, le gritó:

—¡Defiéndete Fabio, no te quedes allí sentado como un tonto!

El alcalde comentó:

—No hay nada qué defender.

El magistrado ordenó a los agentes:

—Favor de esposarlo y encerrarlo en la cárcel municipal. El juicio será en tres días.

Se marcharon con el alcalde arrestado. La mujer se fue tras ellos lanzando maldiciones y gritos histéricos.

Aquella escena era producto del plan de José para desenmascarar a don Fabio. La alcaldía del pueblo fue siempre controlada por la familia de éste. El abuelo fue alcalde por muchos años, y cuando se retiró de la arena política el puesto pasó al padre de don Fabio, quien gobernó durante la guerra civil. Éste le entregó el puesto al hijo, quien continuaba gobernando cuando José regresó al pueblo.

Antes de su llegada, José también financió una investigación exhaustiva y secreta de los métodos electorales que aquella familia practicaba durante las elecciones públicas para asegurarse la administración de la alcaldía, los que incluían compra de votos, chantaje, amenazas, intimidación, falsificación de boletas electorales, destrucción de boletas a favor de los partidos contrarios y muchas otras anomalías.

La documentación fue entregada a las autoridades del gobierno central, del consejo electoral y a los medios de comunicación. José esperaba que el arresto del alcalde y los cargos que se presentarían en el juicio demostraran la corrupción electoral enraizada en aquel pueblo. Su reservado optimismo no le hacía esperar mucho más que eso. Aunque pensaba que los tiempos habían cambiado, al menos un poco, y quién sabe, acaso las pasadas elecciones fueran anuladas y se llamara a unas nuevas bajo un cerrado escrutinio público.

También se hacía constar en los documentos la falsedad de las escrituras de las tierras concedidas por el alcalde a don Clemente, y se demandaba, por lo tanto, que las tierras fueran retornadas a sus verdaderos dueños, cuyos nombres y propiedades se describían en la detallada documentación preparada por investigadores nacionales y extranjeros, y certificada por un abogado local de reconocida honestidad.

José se preguntaba si todo aquello daría resultados positivos. En pueblos como aquél se podía esperar todo. Los habitantes habían visto tantas cosas increíbles que ya nada, por absurdo que fuera, les extrañaba.

Mañana mismo iría a inspeccionar la tumba dedicada a su familia. Luego regresaría a la tierra adoptiva a contraer matrimonio y fundar su nueva familia.

Mientras tanto, no le quedaba más que continuar saboreando el vino y obsequiando bebidas a aquellas personas que nunca sabrían su verdadera identidad, ni el motivo de su regreso a su pueblo después de veinte y tantos años. Mejor así, reflexionaba. Había oído decir cierta vez a su querido protector que la venganza secreta es más dulce que la miel, y él estaba completamente de acuerdo.

Pagó la cuenta y dejó una generosa propina al mesero, se despidió del propietario quien le rogó que volviera cuando quisiera y abandonó el lugar. Ya en la calle, escuchó una fuerte detonación procedente del interior del restaurante.

El dueño abrió la puerta de golpe y gritó con desesperación:

—¡El general se fulminó los sesos!

# Yo también soy América

*"I, too, am America"*
—Langston Hughes.

Mis manos cultivan
el alimento de América.
Construyen casas y edificios
para el abrigo de América.
Erigen puentes y carreteras
para el progreso de América.
Miman y cuidan niños:
el futuro de América.

Pero cuando busco el alimento
que he cultivado con mi sudor,
abrigo en la casa
que he levantado con mis manos,
y mis hijos buscan un futuro
en la escuela que he construido,
soy rechazado
soy indeseable
no tengo derecho de existir.

No aceptan
que yo también soy América.
Porque con mi sacrificio y mi sangre
alimento y construyo
el presente y el futuro
de América.

Por eso yo también soy América.

# El paso

• 1 •

POR FIN había llegado a la frontera. Sólo el río me separaba de la tierra prometida, de los sueños y la esperanza de una vida mejor. Las aguas de aquel torrente legendario, ancho y caudaloso, cruzado por tantos seres humanos, resplandecían a la luz de la luna.

Escondido entre unos arbustos de la ribera esperaba el mejor momento para lanzarme al agua. Tendría que hacerlo con mucho cuidado, buscar el mejor lugar, porque a pesar de la pasividad de la corriente aquel río podía ser traicionero.

La policía vigilaba los alrededores. Se decía que usaba sofisticada tecnología para captar cualquier movimiento en la zona fronteriza. Incluso satélites que desde el espacio recogían datos y los transmitían a centros de investigación donde eran analizados por computadoras, las que de inmediato enviaban señales a los guardas, indicando las posiciones exactas de los indocumentados, para que los interceptaran tan pronto como cruzaran el río, el desierto, las montañas, el mar.

A pesar de todo, la necesidad que oprime al ser humano hace que éste se las ingenie para vencer difíciles obstáculos, atravesar murallas gigantescas e inexpugnables. Nada ni nadie detiene a una persona dispuesta a sobreponerse a su miseria.

La frontera también se había llenado de periodistas, fotógrafos y cámaras de televisión que transmitían a todo el mundo "en vivo y en directo" la situación de los inmigrantes como si se tratara de un espectáculo. Cuanto más trágica fuera la noticia mejor, porque atraía un mayor público televidente, lo cual significaba un alto *rating* de sintonía que se traducía en ganancias financieras. El indocumentado se había convertido en un producto de especulación económica, aunque los medios de comunicación argumentaban que la extensa cobertura lo protegía de los abusos de la patrulla fronteriza.

Yo esperaba agazapado, recordando los consejos del coyote, quien había traído un grupo de treinta personas desde Ciudad de México, compuesto de indocumentados latinos, hindúes y chinos. Al hombre a veces se le hacía difícil controlar el grupo porque muchos de los miembros no hablaban español. El trato era que con él cruzaríamos el río y que nos llevaría hasta Los Ángeles pero, justo cuando llegamos cerca de la frontera, el coyote desapareció y cada uno de nosotros quedó a la deriva, abandonado a su propia suerte. Dicen que era perseguido por la autoridad por delitos de contrabando, y por los mismos coyotes, con quien tenía cuentas pendientes. La mayoría del grupo quiso esperar y buscar otro guía. Yo decidí cruzar por mi cuenta. Desde entonces he atravesado la frontera dos veces, y ambas veces me han capturado.

La primera vez pasé por el desierto de Arizona y caí en manos de rancheros que se dedicaban a la caza de indocumentados por puro deporte, equipados con toda clase de instrumentos como radios, lentes de visión infrarroja, reflectores de halógeno, cámaras fotográficas y perros adiestrados. Cuando me detectaron fui acorralado como un venado. Hacían ruidos extraños como los de animales salvajes y tiraban piedras para espantarme. Luego bloqueaban el paso para que yo huyera a otro lado. Para ellos aquello era excitante y divertido. Para mí aquella cacería humana era pavorosa. Cuando al fin se cansaron de correr me atraparon con una red, como a un animal. En el campamento empezó la fiesta. Se felicitaban y se reían, se tomaban fotos junto a mí, y celebraban con bebidas, música y danza. El que me capturó recibió un trofeo de manos del líder, quien habló del "noble" significado de aquella cacería, y de que no era la primera, pues en 1926 se había hecho lo mismo para limpiar aquel lugar de indios apaches. El fanatismo de aquellos hombres por mantener su tierra libre de inmigrantes me hizo creer que me cocinarían en una gran olla para comerme. Sentí un gran alivio cuando fui entregado a la patrulla, la que sin más averiguaciones me echó al otro lado de la frontera.

La segunda vez pasé por el río. Era un día nublado con presagio de lluvia. Creí que no habría vigilancia debido al inminente aguacero. Una señora y un niño que esperaban conmigo pasaron primero, por una parte ancha que parecía tranquila. La corriente se movía sigilosa como húmeda serpiente. La madre y el niño cruzaban despacio y ya se encontraban a mitad del río cuando, de pronto, el chico se deslizó, se soltó de la madre y se lo llevó la corriente. La mujer imploraba a gritos que le ayudaran a rescatar a su hijo, y se lanzó tras él pero ella misma se estaba ahogando. Aparecieron los periodistas y las cámaras. A ambos lados de la ribera también se congregaron los espectadores. La madre pedía auxilio, pero el camarógrafo prefería filmar y el periodista documentar la aflicción de la madre que acudir a ella. Los espectadores observaban con emoción el macabro espectáculo. Como una fiera feroz, el río devoraba a sus víctimas. Yo no sé nadar, pero me tiré al agua y llegué hasta la mujer y traté de salvarla. Esa parte del río parecía no tener fondo. Ella tragaba agua, pataleaba y gritaba. Los patrulleros de la frontera escucharon los lamentos pero fueron incapaces de ayudarnos porque, según ellos, no tenían el equipo apropiado para tales operaciones. En su desesperación la mujer se subía encima de mí y me hundía. Yo tragaba agua y me estaba ahogando. Al fin fuimos rescatados con un lazo y nos recostaron sobre el pasto de la ribera. La mujer no paraba de llamar a su hijo y quería volver al agua para salvarlo. Pero ya no había señales de él. Las cámaras, por supuesto, lo filmaron todo: las burbujas de los últimos soplos de vida del pequeño que se había hundido dejando atrás sólo leves ondas circulares en el agua, la triste queja de la mujer que maldecía el río y el momento en que decidió cruzarlo. Su llanto me partía el corazón. Los reporteros continuaban transmitiendo por televisión todos los detalles de la tragedia. Los policías permanecían inconmovibles, fieles a su misión de regresarnos al otro lado de la frontera.

Yo seguía agazapado, recordando todo aquello, esperando el mejor momento, pensado en que la tercera vez quizá sería la favorable. Ignoraba qué me esperaba al otro lado. Pero no tenía nada qué perder y estaba decidido a todo. Dicen que el valor es la mitad de la vida.

• 2 •

El momento de cruzar el río había llegado. No podía esperar ni un minuto más. Todo parecía tranquilo. El suave chapoteo de los peces en la lenta corriente era lo único que perturbaba la paz nocturna.

Escogí la parte más estrecha y con mucho cuidado fui calculando que no fuera muy hondo. El agua me llegaba hasta las rodillas. Pasé sin ningún problema y me admiré de lo fácil que había sido esa vez.

Ante mí descubrí un montículo y decidí subirlo. Presentía que la carretera estaba al otro lado. Bajé, y todo era silencio y oscuridad.

De pronto, se encendieron unas luces fuertes que me cegaron de momento. Me cubrí la cara para atenuar los potentes rayos luminosos.

Un policía me tomó de un brazo y me condujo hacia un grupo de hombres que, como yo, parecían haber sido capturados. Una mujer joven, esposada, estaba rodeada de varios patrulleros. Un oficial le gritó con un español marcado por un fuerte acento inglés:

—¿Cómo se llama el coyote que te ayudó a pasar? ¡Dímelo!

La mujer se puso a llorar y con voz entrecortada, dijo:

—No sé cómo se llama. Nunca nos dijo su nombre.

—Bien, no quieres cooperar. Entonces irás a la cárcel y luego serás deportada. ¡Llévensela!

Dos policías escoltaron a la mujer y la empujaron al fondo de un microbús donde esperaban otros indocumentados.

—¡El que sigue! —gritó alguien.

El policía que no se había apartado de mi lado me tomó del brazo para llevarme ante el jefe. Yo había recuperado un poco la vista, pero las potentes luces aún no me permitían ver con claridad a mi alrededor.

Me sentía totalmente derrotado por la suerte. Mi tercer intento había fracasado. Me habían capturado y pensé que me convenía cooperar con la policía. De todas maneras todo estaba perdido.

—A ver si tú quieres cooperar —dijo el jefe—. Dime el nombre del coyote.

—Señor oficial, no sé con certeza el nombre del coyote, pero recuerdo que algunos miembros del grupo lo llamaban Texas.

—¿Cómo?

—Texas . . . Nos robó el dinero y nos abandonó. Yo no quise pagar otro coyote y pasé la frontera sin la ayuda de nadie . . . crucé el río pero, por rescatar a una mujer que se estaba ahogando, me arrestó la policía . . .

En eso se escuchó una voz fuerte que parecía salir de un altoparlante.

—¡Corten! ¡Corten! ¡Tomen un descanso! ¡En veinte minutos filmaremos la siguiente escena!

Las luces palidecieron. Los policías se retiraron. Llegó un hombre con un megáfono en una mano y un libro en la otra. Con voz amigable me dijo:

—Te saliste del guión, pero igual tus palabras fueron convincentes, y tu actuación muy natural. ¿De dónde sacaste eso de la mujer que se estaba ahogando en el río?

Yo no entendía la pregunta, y sin pensarlo dos veces le dije:

—De la realidad.

Él se dirigió a otro individuo que lo acompañaba.

—Debemos incluir eso en el guión, me parece que le agregará fuerza al personaje y hará más verídica la escena.

—Buena idea señor director —dijo el otro.

Me miró a los ojos y dijo:

—Inclúyelo tú también en tu copia.

—¿Qué copia? —pregunté.

El hombre se mostró un tanto desconcertado.

—¿La perdiste?

Luego le dijo al otro:

—Dale otra.

Me entregaron un fajo de páginas encuadernadas en cuya pasta se leía *Río Grande — Guión.*

—Tu parte, la de Salvador, empieza en la página siete —dijo alguien—. Sigue trabajando tu personaje.

Cuando iba a retirarse, el asistente se volvió para decirme:

—Estoy de acuerdo con el director, lo que dijiste sobre la mujer que se estaba ahogando en el río fue muy convincente. Buen trabajo.

Iba a decirle que no era invención mía, que lo había vivido, pero el hombre se marchó. En ese momento todo se aclaró en mi mente. Por fin caí en la cuenta de que había ido a parar a un lugar en que filmaban una película. Lo más curioso aún era que había hecho el papel de uno de los personajes, y el director no sólo me había creído, sino que parecía haberse impresionado de mi actuación.

La suerte me había llegado de sorpresa y de manera extraña. Yo no sabía un comino de actuación y nunca, ni siquiera en sueños, aspiré a ser actor. Pero así se me presentó la fortuna y debía aprovecharla, y aprenderme de memoria aquellos diálogos, aquellas palabras que no estaban muy lejos de mi propia realidad.

Comprendí que convertirme en actor tampoco sería fácil, pues uno no cambia de carácter de la noche a la mañana, y ser buen artista de cine podía representar trabajo de toda una vida. Pero aquella película se presentó como una balsa salvadora, y yo estaba dispuesto a aferrarme a ella para navegar el río de mi destino.

La fuerte voz del altoparlante anunció:

—¡Atención, continuaremos filmando en cinco minutos! ¡Atención, en cinco minutos!

• 3 •

El tiempo pasó, y con el apoyo y la comprensión del director actué mi papel hasta el final. Según él, no fue necesario enseñarme mucho porque yo era un actor nato.

La película *Río Grande* se terminó de filmar y fue lanzada al mercado con bastante éxito, para gran satisfacción del productor, del director y de la compañía de cine. Incluso fue nominada como una de las mejores películas del año, y yo como el mejor actor.

La noche de los premios, esperaba en un rincón medio oscuro tras el telón del escenario. En mi pensamiento relampagueaban escenas del pasado, cuando esperaba escondido entre los arbustos de la ribera para cruzar el río. Recordé la angustia y la incertidumbre, el resplandor de las aguas a la luz de la luna, la fría corriente que me llegaba hasta las rodillas. Todo parecía entonces una rara película con cierta sombra de dolor. También me asaltó el recuerdo de la madre y su hijo . . .

El director vino hacia mí y al verme agazapado, temblando aferrado a uno de los pliegues del telón, me dijo con urgencia:

—¿Qué haces allí? ¡Apúrate! Te están llamando.

—¿Por qué me llaman?

—Vamos, ¡apúrate!

Me tomó del brazo y me empujó hacia el escenario, como si me lanzara a las oscuras aguas de un río.

—¡Eres el mejor actor! ¡Te lo dije!

Indeciso y a tientas aparecí por el fondo del escenario. Ante mí se encendieron las cegadoras luces. Alguien me entregó un trofeo y me dio un beso en la mejilla. Un torrente de aplausos brotó del público.

"Es momento de actuar otra vez", pensé al tratar de recobrar la serenidad cuando me encontraba frente al micrófono.

La triste queja de la madre por su hijo ahogado resonó en mi mente. Su llanto aún me partía el corazón. Me sentí culpable de la muerte del chico y me invadió un profundo sentimiento de desolación. Sólo pude balbucear, con lágrimas en los ojos, unas palabras . . .

—Dedico este premio a los que han cruzado el Río Grande en busca de sus sueños . . . a las madres . . . y a los que murieron tratando de atravesarlo . . .

No pude decir más. Di la vuelta y me marché. A mis espaldas se desbordó una fuerte lluvia de aplausos y ovaciones. Pero en mi pensamiento la queja de dolor de la madre por su hijo era mucho más intensa. La imagen del río se me presentó como la arena de un antiguo circo romano, donde la multitud observaba con emoción el horroroso espectáculo del niño indefenso que se ahogaba, y nadie se dignaba a lanzarse al agua para salvarlo.

Sólo aplaudían.

# Las ilusiones de Juana

*A Mirella,*
*la ardiente llama*
*del terruño.*

## • 1 •

JUANA, salvadoreña de nacimiento y residente en Estados Unidos, experimentó gran alegría cuando la guerra civil que flageló a su país por doce años finalmente concluyó. Desde entonces solía visitar su tierra natal religiosamente cada año para las fiestas de agosto. En una de tales ocasiones su hermana Lidia, quien vivía en una de las nuevas colonias de la ciudad, la invitó a un almuerzo familiar para celebrar su cumpleaños.

Juana aceptó de buena gana, y en el día convenido fue a la casa de Lidia y la encontró afanada en ordenar la mesa poblada de platos, ollas, vasos, cuchillos, cucharas, cucharones y tenedores. La olla central, en la cual rebalsaba el aromático "Gallo en chicha", se destacaba en el centro, rodeada del humeante arroz con chipilines, rellenos de huisquil, crema, queso, flor de izote con huevo, tortillas y refresco de tamarindo. Allí se encontraban los platos favoritos de Juana, los que ella añoraba en el lejano país del Norte, en el que si bien existían restaurantes de comida salvadoreña, no servían aquellas delicias que requerían especial conocimiento de la comida típica del país. El almuerzo prometía ser un verdadero banquete.

Juana entró en el comedor acompañada de sus sobrinos Alfonso, Mercedes y Alex, y Chico, el cuñado, que la instaban a tomar asiento a la cabeza de la mesa. De repente sus ojos se clavaron en unos aguacates y no pudo contener la sorpresa:

—¿Lidia, dónde conseguiste esos aguacates? ¡Son los más grandes que he visto en mi vida!

—Se los compré a una india de Panchimalco que tiene un puesto en el mercado —afirmó Lidia distraídamente, concentrada en ordenar los manjares sobre la mesa, sabiendo muy bien que iban a ser el deleite de su querida hermana.

Le pidieron a Juana una vez más que tomara asiento para iniciar el banquete pero los aguacates habían captado su atención; parecía estar cautivada por su inusual tamaño.

Por fin se sentaron, y al cabo de una corta oración se lanzaron sobre la exquisita comida.

—¡Qué despliegue y abundancia de platos sabrosos! —se admiró Chico. Luego, en son de broma, agregó: —Si así vamos a comer en el cumpleaños de Juana, deseo que los cumpla todos los días. Porque regularmente sólo comemos arroz, frijoles y tortillas.

Lidia pidió a su esposo que no exagerara porque su hermana creería que ella no alimentaba bien a su familia.

Juana saboreaba el suculento almuerzo pero no despegaba la vista de los aguacates. Lidia tomó uno con ambas manos, lo partió y le ofreció una rodaja.

Juana observó la porción de aguacate por un momento. Acto seguido, partió un pedazo, lo roció con sal y se lo llevó a la boca. Lo saboreó despacio y al experimentar el placer de la cremosa carnosidad vegetal cerró los ojos y exclamó:

—¡Qué delicia, Dios mío! ¡Es el aguacate más rico que he comido!

Todos la observaron de reojo, sin comprender el motivo de la exaltación de Juana por aquella fruta que para ellos era cosa tan común como el día y la noche.

Chico trató de justificar el entusiasmo de su cuñada.

—Es que quizá en Estados Unidos no hay aguacates y por eso está impresionada.

—Sí los hay —dijo Juana—. Pero son pequeños, duros y caros; y encima de eso, de mal sabor.

Alfonso, el menor de los sobrinos, le dijo a la tía que se llevara unos con ella, así podría comerlos allá. Lidia por su parte le dijo al muchacho que no hablara con la boca llena porque era mala educación. Juana salió en defensa del sobrino, pidió que no lo regañaran porque sólo estaba tratando de ayudarle. Luego, como si de repente advirtiera la magnitud del consejo infantil, agregó:

—Qué buena idea me has dado, hijo. Me llevaré unos aguacates a Estados Unidos. Pero que sean de estos mismos.

—Por supuesto —afirmó Lidia—. Unos días antes del viaje iremos a comprarlos.

El festejo continuó en medio de bromas y risas. Al final todos quedaron satisfechos. El almuerzo había sido todo un éxito.

—Gracias por el banquete —dijo Juana al despedirse de su familia—. No se imaginan lo mucho que he gozado. He pasado unos momentos muy felices.

• 2 •

Un día antes de retornar a Estados Unidos, Juana fue con su hermana al mercado con el fin de comprar aguacates para llevarlos consigo. Localizaron a la vendedora, quien en ese momento hablaba en una lengua indígena a una muchacha de su misma raza que le hacía compañía. Al observar los aguacates Juana hubiera deseado comprar todos los que contenía el canasto, pero solamente le fue posible adquirir tres debido a su voluminoso tamaño. La mujer los metió en una bolsa plástica con cierta ceremonia al tiempo que murmuraba algo quizá para despedirse de aquellos frutos. A Juana le fue imposible entender aquellas palabras y advirtió una actitud extraña en la vendedora, como si estuviera orgullosa de los aguacates y no deseara separarse de ellos.

Al hacer las maletas Juana se aseguró de envolverlos de manera que estuvieran protegidos. De suerte que en el aeropuerto no le registraron las valijas, y al llegar a su destino en Virginia experimentó un gran alivio cuando finalmente pudo extraer su preciado tesoro y exponerlo sobre la mesa del comedor.

En los siguientes días consumió los sabrosos aguacates. Un confuso sentimiento mezcla de gozo y tristeza la invadió cuando comió la última rodaja. Pero su rostro se iluminó cuando a su mente invadió un pensamiento salvador, y no pudo evitar expresarlo en voz alta:

—¡Sembraré la semilla para que crezca un árbol y produzca aguacates!

Se congratuló a sí misma por haber concebido tan genial idea, y murmuró:

—No soy tan tonta al fin y al cabo.

Se entregó al cultivo del aguacate como si se tratara del proyecto más importante de su vida. Adquirió una maceta grande, tierra fina y abono, incluso vitaminas para agregar al agua filtrada con que la regaría. Sembró la semilla con sumo cuidado y primor, y diariamente la roció con agua vitaminada al tiempo que oraba a San Antonio del Monte para que la semilla germinara.

Alguien le había dicho que las plantas crecían mejor si se les hablaba, por lo que Juana dispuso una butaca cerca de la maceta para sentarse y hablar con comodidad. Al principio lanzaba algunas palabras afectuosas en dirección de la maceta, como "Semillita linda", y luego se retiraba.

Con el tiempo las frases se multiplicaron en largos monólogos que eventualmente conformaron verdaderas historias, las que Juana contaba no sólo para que germinara la semilla, sino también para atenuar su soledad en aquella ciudad en que se sentía extranjera aún después de más de diez años de residencia.

Pero la nuez no gestaba a pesar del abono y el agua vitaminada, y de que Juana para entonces había relatado a la maceta los pasajes críticos de su vida, habiéndole contado que perdió los dos hijos mayores en la guerra civil, uno en el ejército nacional y otro en la guerrilla; que por temor a una amenaza de muerte había abandonado el país con su esposo, una hija y un hijo, una horrorosa madrugada que prefería no recordar . . .

—Tuvimos que abandonar de inmediato lo que con sacrificio nos había tomado toda una vida construir: una casa, un hogar, una familia, para lanzarnos en un viaje incierto y lleno de peripecias a través de Guatemala y México, y entrar en Estados Unidos ilegalmente . . . Con la ayuda de amigos logramos conseguir trabajo para sobrevivir y pagar un apartamento, aunque lo que más deseábamos era que terminara la guerra y así poder regresar a nuestro país, a nuestra familia, a nuestras raíces, porque ninguno de nosotros deseaba quedarse para siempre en este país extraño . . . Pero la guerra no cesaba y con el tiempo parecía que nos íbamos acostumbrando . . . Mi hija se casó con un gringo, mi hijo abandonó la escuela y entró de soldado en la marina, mi esposo trabajaba día y noche, los dólares lo deslumbraron y gastaba más de lo que ganaba, su carácter antes pacífico cambió y se convirtió en un mujeriego, borracho y malhumorado, imposible de aguantar, hasta que nos divorciamos después de treinta años de matrimonio . . . Dicen que por ahí anda con una muchacha más joven que nuestra hija . . . Y yo me fui quedando sola. Sin hijos, sin hombre, sin patria . . .

Cierta mañana, antes de partir hacia su trabajo se le ocurrió revisar la maceta, y de repente fue presa de una profunda alegría al descubrir una diminuta hoja, y gritó:

—¡Gracias, San Antonio del Monte por haber escuchado mis oraciones!

En un arrebato de emoción tomó el teléfono y llamó a su hermana en El Salvador, a quien había mantenido informada desde el momento en que sembró la semilla.

—¡Hola, Lidia, soy Juana!

—Hola, ¿y a qué se debe esta llamada tan temprano?

—La semilla finalmente germinó. Le ha salido una hojita verde. ¡Es bien linda!

Lidia pensó: "Mi hermana se ha vuelto loca, Dios mío", y le dijo:

—Cuánto me alegro.

—La he alimentado y cuidado, hasta me paso hablándole por horas . . . También le he rezado mucho a San Antonio del Monte y le he prometido una misa si me da un arbolito . . .

—Pues veo que has tenido suerte . . .

—Sí, gracias a Dios y a San Antonio del Monte que la semilla germinó . . . Adiós, hermanita. Te quiero mucho.

—Adiós. Te mando un beso y un abrazo.

• 3 •

Creció una plantita de tallo delgado y alto, hojas alargadas color verde oscuro, que se desarrolló y alcanzó regular tamaño, lo cual renovó las ilusiones de Juana por obtener algún día su propio árbol que produjera los sabrosos aguacates.

En Estados Unidos son los animales, principalmente los perros y los gatos, los acompañantes domésticos de los solteros, ancianos, enfermos y niños, al punto de ser considerados como miembros regulares de la familia. En el caso de Juana, era aquella mata la que había conquistado su corazón para convertirse en compañera, y el centro de su atención y cuidado.

No era simplemente una planta más; para Juana era símbolo de identidad; mantenía fresco y latente el recuerdo de su cultura, costumbres y antepasados; era un fragmento viviente de su querida y lejana tierra natal, a la que pensaba retornar aunque fuera sólo para vivir sus últimos días de vida en la reducida casa en Santa Tecla que con sacrificios había comprado y dejado al cuidado de su hermana. Todo eso representaba para Juana aquel pequeño arbusto de aguacate: un puente emocional que conectaba su pasado con su presente y su futuro; por eso lo cuidaba como parte importante de su existencia.

Preocupada por los rigores del clima, durante el frío y nevado invierno Juana mantuvo el arbolito en el interior de la casa bajo una luz artificial. En la primavera lo sacó al patio los fines de semana. Llegado el verano decidió trasplantarlo a un lugar del jardín, lo abonó adecuadamente y lo rodeó de flores de diferente clase y color. El aguacate parecía adaptarse al clima y continuaba creciendo y echando las particulares hojas largas.

También las ilusiones de Juana crecían, y por las tardes se sentaba en el patio para observar el arbolito y todo su ser se llenaba de una agradable sensación de gozo mezclado con la melancolía de los recuerdos. Pensaba en los abruptos giros que había dado su vida. Se preguntaba cómo había llegado a aquella tierra lejana cuando antes no se animaba a viajar ni siquiera al vecino país de Guatemala. ¿Por qué el tiempo había pasado tan pronto? ¿Por qué ahora se encontraba tan sola después de haber sido el centro y el motor de un hogar lleno de hijos, penas y problemas, pero sobre todo armonía y mucha alegría y vitalidad? ¿Por qué la vida le había dado todo y luego la había abandonado en aquel apartamento oscuro y solitario? Pero quizá ya nada de eso importaba, pensaba Juana, porque el pasado sólo era ya un recuerdo, una sucesión de imágenes mudas que empezaban a desteñirse acaso de tanto revolverlas en su memoria.

—¿Dónde estará mi hijo? —preguntaba con tristeza al aguacate—. ¿Qué pasará con mi hija? Ya no me visitan ni me hablan por teléfono . . .

Iba a murmurar: "A saber cuándo vendrá mi marido", pero las palabras se disolvieron antes de salir de su boca al recordar que se había divorciado de él, hacía mucho tiempo. Bajo el influjo del suave sol de la tarde se quedó dormida y el bondadoso sueño le prodigó imágenes y situaciones agradables, muy ajenas a su circunstancia pero que reconfortaron su alma.

• 4 •

El verano en Virginia es usualmente riguroso, durante el cual se producen cambios inusitados y extremos de temperatura. Para esos días una ola de intenso calor y humedad azotó a la región. El aguacate de Juana no aguantó las asperezas del clima, y cuando ella decidió trasplantarlo de regreso a la maceta para entrarlo en el apartamento, fue demasiado tarde, sólo encontró un tallo seco y unas hojas arrugadas.

Con lágrimas en los ojos llamó a su hermana. Las líneas estaban ocupadas pero al cabo de varios intentos logró establecer comunicación, y al escuchar la voz de Lidia, tartamudeó:

—Lidia, se me murió el aguacate.

Incapaz de decir otra cosa debido a la profunda tristeza que en esos momentos la embargaba, prorrumpió a llorar como una criatura. Su hermana no alcanzaba a comprender la magnitud de la situación, pero trató de consolarla.

—Ay, hermanita, cuánto lo siento.

—Si hubieras visto cómo había crecido, mi aguacatito.

—Qué lástima.

—Sí, ya estaba bien lindo.

—Cuánto lo siento.

—Es que se vino una gran ola de calor.

—Mejor lo hubieras dejado en la maceta . . .

—Sí. Mejor no lo hubiera trasplantado . . .

—Es que quizá el aguacate no es de esos climas fuertes de allá. Tal vez sólo crece en clima tropical como el de nuestro país . . .

—Qué lástima, sólo quedó un tallito sin vida y unas hojas arrugadas . . . Como si se hubiera muerto de tristeza . . .

Lidia percibió en aquel tono de voz la desesperación de su hermana, y le dijo:

—Hermana, ya se acercan las fiestas de agosto y pronto vendrás de vacaciones . . .

—No sé si iré este año —dijo Juana con desilusión.

—¿Cómo que no? Aquí te estamos esperando. Tus sobrinos están preguntando que si vamos a celebrar tu cumpleaños. Todos te queremos mucho. Ésta es tu familia.

—En estos momentos no sé ni qué pensar . . .

—Compraremos aguacates grandes, de esos que te gustan, iremos a pasear al puerto, a comer tu preferida comida. En fin, hay tantas diversiones, tantos lugares bonitos que visitar . . . Aquí te espera tu tierra, tu gente, tu familia que te quiere tanto . . .

# La república del limbo

HABÍA UNA VEZ un insólito lugar llamado La república del limbo, situado en la frontera de aquí y allá, de hoy y mañana, de realidad y ficción. Era un ámbito no diagramado en el mapamundi, sino en la imaginación de sus exiguos habitantes.

La república del limbo carecía de símbolos patrios, fechas conmemorativas, verdades absolutas, credos y filosofías; allí no existían relojes ni calendarios, historia ni eventualidad. El presente era la regla. En los verbos del idioma no existían tiempos pretéritos ni futuros.

Nada era verdad ni mentira. La única religión era la vida; la única moral la supervivencia. No había triunfos ni derrotas; sin embargo, cada habitante guardaba celosamente sus sueños y sus utopías porque ya estaban realizadas.

La Constitución de La república del limbo, la cual estaba escrita en la mente de cada ciudadano, contenía cuatro artículos:

1) Todo ser tiene derecho a vivir.
2) No se prohíbe pensar.
3) El territorio no le pertenece a nadie.
4) No hay fronteras; por lo tanto, no se requiere nombre, edad, nacionalidad, visa ni pasaporte para entrar y salir.

La república del limbo adolecía de gobiernos, partidos políticos, religiones, ejércitos, sistemas económicos y de seguridad; por lo tanto no había pobres ni ricos; todo era de todos y nada de nadie.

Algunos de los habitantes eran emigrantes en busca de la mítica tierra prometida, exiliados de regímenes sangrientos, prófugos independentistas, anarquistas y rebeldes de toda casta, marginados de la sociedad, sobrevivientes de mil odiseas, artistas oscuros y poetas malditos. Todos y cada uno de ellos era recibido como un héroe.

La república del limbo era la más antigua, porque allí precisamente se inició el universo, en el pensamiento de un ser transparente, invisible pero factible como el viento.

# Amat el peregrino

HUEPET FALLECIÓ agobiado por los achaques de la vejez. Perteneció a la estirpe de Balám Acab, uno de los originales hombres de maíz creados por Tepeu y Gucumatz, las deidades que regían el antiguo universo maya.

Por ese tiempo, del otro lado del mar llegó el imperio español que conquistó y sometió a los vastos señoríos de América. Las razas y las sangres se mezclaron, nacieron nuevos seres humanos que adoptaron otras costumbres y lenguas, olvidaron sus antiguas raíces, y adoraron al dios de los vencedores.

Siglos después, Amat, descendiente de Huepet, emprendió la búsqueda de sus antepasados por tierras en que se conservaban vestigios de ciudades milenarias y razas de antiguo esplendor.

El afán de Amat lo llevó a Teotihuacán, donde meditó ante el templo de Tlaloc-Quetzalcóatl, recorrió la calzada de los Muertos e imaginó muchedumbres que transitaban aquel camino con suntuosas vestimentas ceremoniales, encabezadas por héroes de cruentas batallas rodeados de sus presas, fuertes guerreros esclavos y bellísimas mujeres, ofrendas para el señor de la comarca.

Las noches encontraban a Amat en la cúspide de la pirámide de la Luna, desde donde, en largas vigilias, observaba aquella ciudadela que en tiempos inmemoriales fuera un centro de poderosa influencia cultural entre las razas totonaca, zapoteca y maya.

El mediodía lo hallaba en las graderías de la pirámide del Sol, recorriendo con agilidad amplios escalones de piedra, observando las águilas que esparcían sus enormes alas en el océano azul del infinito, como si portaran mensajes acaso claves para el descubrimiento de su linaje, los que él nunca recibiría del ave sagrada porque la pureza de su raza había desaparecido en su ser a través de tantas generaciones. Sin embargo, Amat presentía que por sus venas aún corría al menos una gota de la sangre de sus ancestros, pero ésta era tan insignificante y débil que él no se consideraba digno de acercarse a aquella deidad de los aires. Mas la obsesión por conocer su verdadera identidad estremecía con fuerza y persistencia todo su ser, y no lo dejaría en paz hasta que la descubriera.

Se marchó de Teotihuacán sin encontrar mínimas señales de respuesta. El enigma lo empujó a viajar hacia otras comarcas legendarias, pues para él carecía de sentido existir ignorando su origen, sus raíces, su sangre.

Amat se sentía extranjero en el mundo, como si su raza hubiera desaparecido de pronto y él hubiera quedado abandonado en este extraño lugar, acaso como castigo divino por un pecado del cual él no era culpable.

En Chichén Itzá su alma se estremeció al encontrarse ante la imponente pirámide de Kukulcán, la que a pesar de presenciar por vez primera le parecía haberla escalado incontables veces, acaso en sueños, para visitar al príncipe de la región, quien lo había recibido en su trono rodeado de fuertes guerreros, jaguares sagrados y hermosas doncellas.

Aquel pasaje se presenta de forma borrosa en su memoria, como si el recuerdo datara de siglos. "¿A qué habré venido?" se preguntaba con insistencia y desesperación, pues la respuesta acaso encerrara la clave de la razón de su existencia.

Amat escaló el castillo de Kukulcán y desde la cima observó el anfiteatro del Juego de Pelota, la plataforma de Venus, el templo de los Guerreros y la plaza de las Mil Columnas, restos de la época en que los mayas itzaes fueron conquistados por huestes toltecas que emigraron a estas latitudes después de la disolución de su imperio antiguamente asentado en Tulán, trayendo consigo su máxima divinidad, Kukulcán, Dios de la serpiente emplumada, integrando su arquitectura a la de Chichén para construir aquella bella ciudad en que descolló la magnificencia de las culturas maya y tolteca.

Amat escuchó un vocerío proveniente de la plaza, en la que empezaba a congregarse una muchedumbre. Alguien comentó que ese día se producía el equinoccio de primavera, época del año en que la duración de los días y de las noches es exactamente la misma en toda la tierra, porque el sol, en su trayectoria aparente, corta el plano del ecuador.

Amat fue a unirse a la celebración. Varias gentes estaban ataviadas con atuendos ceremoniales, y en el rostro de la mayoría se advertía un entusiasmo y una excitación particular. De pronto el cielo se llenó de una luz extraña y todas las miradas se volcaron hacia la imponente pirámide. La sombra que cubría el ángulo noroeste del monumento se reflejó sobre la balaustrada de los escalones y formó triángulos de luz y sombra que semejaban el movimiento de una serpiente. El efecto fue mucho más espectacular y desató exclamaciones de asombro de la multitud cuando la sucesión de triángulos iluminados tocó la gran cabeza de Kukulcán situada en la base de los escalones, dando la sensación de que la serpiente de luz descendía, lenta y mágicamente, de la pirámide. Uno de los presentes comentó que aquel maravilloso resultado solamente podía ser obtenido con medidas y cálculos arquitectónicos y astronómicos precisos.

La multitud entonó cantos de exaltación a Kukulcán, quien, como en tiempos inmemoriales, en un haz de luz había descendido a la tierra trayendo un mensaje de renovación y grandeza.

Amat, poseído de gran excitación ante aquel singular espectáculo, pensó que sus antepasados eran pueblos en verdad gloriosos, de excelsos artistas y genios impresionantes.

La multitud, aún enardecida por el hecho extraordinario que acababa de presenciar, fue diseminándose gradualmente. Amat pasó al anfiteatro del Juego de Pelota, lugar en que antaño se celebraba aquel rito sagrado dedicado a los dioses, en que la vida de los vencedores se entregaba como ofrenda al Todopoderoso.

El ámbito y los edificios le parecían conocidos, pero no encontraba allí ningún indicio de respuesta a su inquietud. Pensaba que tal vez le era necesario viajar a otras ciudades antiguas, donde posiblemente algo le fuera manifestado. ¿Podría estar la revelación inscrita en la pirámide mayor de Tikal? ¿En el templo de las inscripciones de Copán? ¿En los resquebrajados altares de Tazumal? Sólo los dioses lo sabían, y parecía que ellos no estaban dispuestos a comunicárselo.

Amat continuó el recorrido por la ciudadela de Chichén Itzá, y uno de los senderos lo condujo al Cenote Sagrado, un ancho, circular y hondo abismo, donde en tiempos pasados se lanzaban joyas y doncellas vírgenes como ofrendas a los dioses, cuyos imperios radicaban en la profundidad de las aguas.

Se creía que el abismo del Cenote Sagrado llevaba a Xibalbá, el ámbito de la oscuridad donde reinaban los hombres de palo, en un tiempo desterrados del mundo de la luz por contradecir la voluntad de Tepeu y Gucumatz. Cuando las dádivas y los sacrificios descendían a la profundidad, los dioses decidían si los aceptaban o no. Los rechazados pasaban a ser propiedad de los descendientes de Hun-Camé y Vucub-Camé, feroces caciques de Xibalbá, quienes los incineraban para alimentar el débil fuego que lograban mantener en aquella región de tinieblas, fría y desolada a que habían sido confinados desde que fueron vencidos por los héroes gemelos Hunahpú e Ixbalanqué en un legendario juego de pelota.

La descomunal boca del Cenote Sagrado ejerció de pronto en Amat un poderoso atractivo, el que se unió al influjo de energía que la luminosa aparición de Kukulcán había creado en su espíritu. Creyó que aquellas eran las fuerzas del destino. Subió al borde circular y sin pensarlo se lanzó a la profundidad.

En el largo descenso sintió que su cuerpo experimentaba una metamorfosis, se volvía liviano y se purificaba, y cuando tocó las aguas ya se había transformado en su nagual, su otro ser, un nativo de aquel abismo. ¿Lo aceptarían los dioses o lo condenarían a la oscuridad eterna de Xibalbá?

Tepeu y Gucumatz, sentados en sus resplandecientes tronos de oro y plumas de quetzal, lo esperaban sonrientes. El largo peregrinaje de Amat había concluido. Finalmente se encontraba donde pertenecía: en la maravillosa tierra prometida de sus antepasados.

# De Australia con amor

*A Rufina y Verónica,*
*a un mar de distancia,*
*unidas por las olas*
*de la memoria.*

> *Tal vez cruzando el mar*
> *pueda yo encontrar*
> *a la mujer que sepa amar.*
> —Canción popular.

• 1 •

RECIBIÓ UNA FOTOGRAFÍA con la dedicación "Para Ramón—De Australia con amor—Rosa", grande, en color, y se dio a la tarea de estudiarla detalladamente para tratar de captar la personalidad de aquella mujer con quien había establecido amistad por medio de la Internet y que, después de un año de intenso intercambio de mensajes de toda naturaleza, estaba dispuesta a casarse con él.

Se conocieron en un club cibernético, TierraLinda, en el que los miembros compartían información relacionada a su tierra natal la que, a causa de la guerra civil y la difícil situación económica, habían dejado para emigrar a los más distantes rincones del planeta.

Cierta vez, en la pantalla del computador que Ramón alquilaba en el establecimiento que frecuentaba en la ciudad, apareció el siguiente mensaje enviado por uno de los miembros de la agrupación a que pertenecía:

*Subject: Nuestro bello país*
*Date: Fri, 14 Jan 2000*
*From: Rosa <LaNostálgica@iprimus.com.au>*
*Reply-To: TierraLinda@yahoogroups.com*
*To: TierraLinda@yahoogroups.com*

Estimados amigos:
   Añoro mi tierra tanto que a veces me arrepiento de
haberla dejado. Sé que muchos de ustedes estarán de acuerdo
conmigo que no hay lugar más lindo en el planeta que la
tierra que nos dio los primeros soplos de vida . . . Yo nací en
Las Hamacas. No sé si alguno de ustedes lo conoce . . .
Desde el lejano país de Australia les mando un gran abrazo
a todos los que forman este grupo tan especial que nos da el
espacio para hablar de nuestra bella patria y compartir
grandes emociones con paisanos residentes en todo el
mundo, Rosa "La Nostálgica"

Aquella misiva electrónica llena de melancolía por la tierra de
origen originó respuestas solidarias de muchos afiliados, incluso una
de Ramón:

*Date: Mon, 17 Jan 2000*
*From: Ramón <ElMalquerido@yahoo.com>*
*Reply-To: TierraLinda@yahoogroups.com*
*To: TierraLinda@yahoogroups.com*
*Subject: Re: Nuestro bello país*

Estimados paisanos:
   Nuestra amiga Rosa tiene toda la razón. No hay tierra
más bella que la nuestra. Y no hay gente más linda que
nuestros compatriotas, pues aunque se encuentran dispersos
por todo el mundo nunca olvidan su patria. Los que
permanecemos aquí en el país tampoco los olvidamos a
ustedes, apreciados hermanos lejanos. Donde quiera que se
encuentren, ya sea en Europa, Estados Unidos, Asia o
Australia, les deseo lo mejor desde la tierra madre, y les invito
a que sigamos achicando las fronteras con la comunicación
en este excelente club. Reciban un fuerte apretón de manos

de este paisano que se siente muy orgulloso de su tierra y de su gente. Ramón "El Malquerido"

Rosa contestó con otro correo en el que agradecía la solidaridad de Ramón y de otros miembros de TierraLinda. Al cabo de cierto tiempo de intercambiar recados que eran leídos y a veces comentados por la colectividad de la agrupación, Ramón decidió escribirle a Rosa un mensaje a su casilla electrónica particular:

*From: Ramón <ElMalquerido@yahoo.com>*
*Date: Wed, 19 Jan 2000*
*To: Rosa <LaNostálgica@iprimus.com.au>*
*Subject: Las Hamacas*

Estimada Rosa:
    Dispense que me tomé la libertad de escribirle a su dirección personal. Es que, para serle franco, sentí en las palabras de uno de sus mensajes anteriores una profunda añoranza por nuestra tierra. Quiero decirle que yo también soy de Las Hamacas. En ese pueblo nací y me crié. Aunque por razones de trabajo me he ido a vivir a la ciudad. Deseo también asegurarle que en mí tiene un amigo, y un hamaqueño, que le desea lo mejor en la vida donde quiera que se encuentre. Espero me sepa disculpar este abuso de dirigirme a usted fuera del club.
    Atentamente, Ramón "El Malquerido"

Ella respondió con interés y entusiasmo:

*Subject: Re: Las Hamacas*
*From: Rosa <LaNostálgica@iprimus.com.au>*
*Date: Fri, 21 Jan 2000*
*To: Ramón <ElMalquerido@yahoo.com>*

Estimado Ramón:
    No tenga pena de escribirme directamente. Me alegra que se haya tomado la libertad de hacerlo, sobre todo porque usted es de Las Hamacas como yo. Mire qué coincidencia y qué sorpresa . . . Dos hamaqueños nos venimos a encontrar en este grupo de cibernautas. Muchas gracias y le

mando un gran saludo desde esta tierra australiana bella y
lejana del otro lado del mar, Rosa "La Nostálgica"

Así continuaron carteándose. Ella buscaba de aquella forma aliviar
su profunda nostalgia por la tierra de origen y recobrar así la
memoria de ese pasado que había dejado a un océano de distancia.
Y qué mejor manera, pensaba, que hacerlo con un paisano tan
amable como aquél que aún se encontraba radicado en el país que
ella mantenía en un lugar especial en el sagrado altar de sus
recuerdos.

Él, por su parte, había encontrado en aquella vía de
comunicación computarizada una ventana al exterior que le
permitía viajar mentalmente a los parajes incógnitos donde se
encontraban sus hermanos distantes, expuestos a las experiencias de
una nueva vida, las que él ansiaba algún día experimentar en
persona, pues su deseo ferviente era abandonar aquel ámbito que no
le proveía mayores oportunidades de progreso ni satisfacciones a sus
sueños de conocer el mundo.

Por las palabras con que los residentes en el extranjero se
expresaban de su lugar natal, era obvio que la nostalgia los consumía
y los empujaba a enviar dinero para apoyar a sus familias
económicamente, para construir la casa de sus sueños a la que un
día aspiraban regresar; viajar a su patria en grandes números con el
fin de pasear y gozar como turistas acaudalados. Sin embargo, para
los lugareños como Ramón, la necesidad despertaba en ellos un
deseo totalmente contrario: el de alejarse de allí cuanto antes y de
cualquier forma para buscar en otra parte una vida mejor. Para él,
el paraíso estaba en algún lugar lejano, menos en su país, donde cada
día era un suplicio sobrevivir.

• 2 •

Dispénseme, Rosa, la pregunta. No la tiene que contestar si
no le agrada. ¿Cómo fue a parar a Australia? Dicen que está
al otro lado del planeta.
   Saludos desde la patria linda, Ramón "El Malquerido"

• • •

Estimado Ramón:

Está bien, no se preocupe, la pregunta no me molesta . . . Yo emigré a Australia en 1982, cuando tenía apenas 13. He vivido aquí por 18 largos años. Sí, usted lo ha adivinado, soy toda una mujer de 31 años de edad. No me da pena decirlo porque he aprendido mucho de la vida. Como muchos de nuestros compatriotas, dejé el país por la guerra. La última experiencia que tuve fue bastante fea. Fue lo más terrible que me ha sucedido. Y hasta la fecha aún recuerdo perfectamente todos los detalles como si hubiera sido ayer. Cosa de la que prefiero no hablar. Espero que usted me comprenda.

En cuanto a mi viaje a Australia, salí sólo con mi pequeña maleta. En el camino al aeropuerto lloraba y lloraba. Llegué donde mi tía, quien estaba establecida en Australia por varios años.

El viaje fue largo. Tomé el primer avión a Los Ángeles, California, el segundo a Sydney, Australia, y el último a Melbourne. Mientras esto pasaba había mucha confusión en mi cabeza, no entendía nada de lo que me decían . . . Las comidas eran muy extrañas, los aeropuertos enormes, llenos de gente, y si no hubiera sido por otros paisanos que venían conmigo, quizá me hubiese perdido también. Cuando por fin llegamos a Australia, después de pasar el examen de inmigración en el aeropuerto, el que hacen para verificar que los papeles estén en orden, en la puerta de salida avisté a mi tía con los brazos abiertos para darme la bienvenida junto con mis primos. Mi vida nueva había empezado.

Mi primera impresión fue de sorpresa al ver este país tan moderno. Cuando subí al carro con mi familia, me fijaba en las carreteras, las calles, los edificios y me parecía todo muy hermoso y limpio. La verdad, me gustó. Cuando llegué al lugar al que llamaría mi hogar, era un apartamento con muchas cosas que nunca había visto. Pensé que mi familia tenía dinero: Son ricos, me dije. Pero ahora que me acuerdo, era simplemente la novedad de todo aquello que yo nunca había tenido en mi país. Me pareció fascinante. La ropa no se lavaba a mano. Tenían lavadora y secadora. El baño era muy bonito y con tina. Yo nunca había visto una. Además tenían automóvil, lo que para mí era un lujo muy grande. Todo me pareció una opulencia. Tantas comodidades. Hasta me dieron un cuarto para mí sola, algo que nunca había tenido. En fin, con mis 13 años y viendo tanta extravagancia pensé que todo era un sueño, y que todo me saldría muy bien.

· 3 ·

Antes de mandarle su foto a Ramón, Rosa dedicó considerable esfuerzo emocional y físico a la elaboración de aquél retrato, y lo envió cuando estuvo totalmente convencida de que aquella era la imagen que mejor la representaba.

Todos los detalles fueron programados con el propósito de causar la más alta impresión, tampoco sin ser excesiva, como se lo había recomendado el fotógrafo profesional, Pierre, que para tal ocasión contrató, quien al principio pensó en una fotografía en blanco y negro, pero decidió que ésta resultaría demasiado dramática y optó por una en color por parecerle más natural.

Pierre le sugirió lucir un vestido casual, pero después cambió de parecer y la hizo vestir ropa formal de oficina, para que Ramón entendiera desde un principio que ella era una profesional, una persona que había progresado en tierras extranjeras. Rosa pensó que aquella indumentaria más bien intimidaría a Ramón y le despertaría el machismo típico de los hombres latinos, y acaso lo acomplejaría haciéndolo sentirse menos que ella. Pierre, sin embargo, se mostró inflexible ante aquellos comentarios, arguyendo todo lo contrario: él comprendería que ella no era una cualquiera, por lo que la respetaría mucho más.

Rosa se presentó al estudio del ponderado experto y éste se dio a la tarea de fotografiarla en diferentes poses y ángulos, tonos de luces, fondos, pero el ambiente del estudio le pareció superficial e hizo varias tomas en la calle, a la luz del sol, y fue precisamente una de éstas la que resultó seleccionada por ambos.

El siguiente dilema a resolver fue si enviar la imagen digitada y por vía cibernética, o en papel por correo tradicional. Pierre se inclinaba por lo práctico y rápido de la Internet, pero Rosa en esta ocasión se mostró firme en su posición y decidió enviar aquel cuadro de su persona por métodos tradicionales, y en papel, para darle a su futuro esposo una sorpresa más pegada a la tierra. Y así después de tantas vueltas y complicaciones, aquella foto por fin llegó a las manos del expectante Ramón. Rosa le había enviado un correo electrónico para ponerlo sobre aviso.

• 4 •

Estimada Rosa:
La descripción de su viaje me ha impresionado mucho. Sin duda fue para usted un verdadero drama alejarse de su país y llegar a otro totalmente diferente. Pero según veo Australia es una gran nación, a la que imagino uno se puede adaptar fácilmente, y donde hay grandes oportunidades de educación y trabajo.
Con afecto, Ramón "El Malquerido"

• • •

Estimado Ramón:
Cuando llegué a Australia estaba triste. Venía a un lugar desconocido donde tenía que aprender otro idioma, nuevas costumbres, comidas, forma de vida. No me fue fácil adaptarme, primeramente porque en la televisión y la radio todo era en inglés. Recuerdo que me sentaba con mis primos a ver un programa y mientras ellos reían yo me preguntaba por qué lo hacían. Me quedaba como tonta viéndolos sin entender. Lo mismo cuando me hablaban o me preguntaban algo. Lo hacían en inglés. Ellos eran pequeños, casi no hablaban español. Luego se quejaban con mi tía porque yo no les comprendía absolutamente nada. En cuanto a los alimentos, no fue muy duro, ya que mi tía preparaba comidas parecidas a las de nuestro país la mayoría de las veces. La refrigeradora siempre estaba llena de tantas cosas que no sabía qué escoger para comer. En ocasiones especiales hacíamos platos de nuestra tierra, ya que no había ningún restaurante de comida típica al que

pudiéramos ir. En el supermercado vendían harina de maíz que ya venía lista; sólo se le agregaba agua y eso me pareció bastante conveniente para hacer nuestra comida.

El ambiente era lo mejor. Una tranquilidad increíble, sin miedo de disparos y robos, y eso hacía que me sintiera en paz. Australia en general es muy linda y extensa, sus paisajes y atracciones son increíblemente bellos, y todo es limpio y muy bien cuidado. Cada vez que iba a algún lugar que no conocía pensaba que era el mejor que había visto, hasta que encontraba otro que me gustaba todavía más. Los parques tenían juegos para niños, lagos donde se podía ir a caminar a sus alrededores y observar los patos y la apacibilidad del lugar. Casitas con mesas y sillas por si se deseaba tener un picnic. Planchas eléctricas gratis para asar carne. En esos parques se disfrutaba de un perfecto fin de semana en unión de la familia.

Otra cosa que me impresionó mucho de este país fue la enorme diversidad de gente y culturas. En nuestro vecindario, cada edificio tenía ocho apartamentos, a los que aquí les llaman "flats". Vivíamos en el tercer piso y la mayoría de sus habitantes eran de origen asiático (Vietnam, Tailandia, Japón, China). Al principio los miraba muy raros porque nunca los había visto antes. Y así continuaba la serie de edificios donde se encontraban gentes de toda raza. Con el paso del tiempo descubrí que estas viviendas son para gente de pocos recursos económicos, a la que el gobierno asiste con el pago del alquiler. La mayoría no trabaja ni estudia, por eso sus recursos son limitados y viven con la asistencia que el gobierno les ofrece. Mi familia era una de ellas.

Pensé que era algo raro el no comunicarse con los vecinos. Mi tía nunca les había dirigido una palabra a muchos del edificio en que nosotros vivíamos, y eso me pareció bastante extraño. No existía la comunicación y la convivencia que hay en nuestro país. No se podía ir a visitar al vecino de enfrente o al del piso de arriba porque, aunque uno los miraba al pasar, no existía confianza y tampoco hablábamos un idioma común.

Y esta es una de las razones principales por qué nosotros los de habla hispana aquí en Australia nos sentimos alejados de todo el mundo, y ese aislamiento causa un impacto de desesperación que no se puede explicar.

Para aprender el idioma de este país, el inglés, me llevó un poquito de tiempo. Al nomás llegar, mientras esperaba cupo en un curso, me la pasaba estudiando los verbos. Ponía atención en la televisión cuando la gente hablaba. Estudié inglés como ocho meses. La mayoría de estudiantes eran inmigrantes de diferentes edades y países. Era difícil. A la hora de recreo nos sentábamos en el patio sin hablar porque no sabíamos qué decir y, si decíamos algo, lo hacíamos con nuestro inglés quebrado, o sólo "Hello" y "Bye." Hola y adiós.

• 5 •

¿Por dónde empezar?, se preguntaba Ramón mientras observaba detenidamente la fotografía. De entrada, en general la encontraba excelente, bien tomada e impresa en papel de buena calidad. Leyó la dedicación varias veces con cierto regocijo, "*Para Ramón—De Australia con amor—Rosa*", tratando de descubrir en la bonita letra a mano algún mensaje secreto o una intención oculta que le revelara algo de la personalidad de la autora. Pero no encontró nada fuera de lo normal.

Rosa, de cuerpo entero, estaba en el centro de la composición, de pie; a su izquierda, unos árboles de verde esplendor. ¿Qué clase de árboles serían aquéllos? Al fondo se destacaba un imponente edificio blanco, de estructura moderna, con muchas ventanas y una alta torre de cúspide triangular, cuya ancha base se extendía a la derecha de la mujer y lo hacía ver como una enorme nave espacial que, en la imaginación de Ramón, parecía que alzaría el vuelo pronto. ¿Cuál sería el propósito de Rosa de retratarse con semejante edificación al fondo? Quizá allí estaba localizada la oficina donde trabajaba en "asuntos contables" según las mismas palabras de ella. Tal vez aquella mole era un monumento histórico australiano. Esto quedó en absoluto misterio para él pues desconocía ese país por completo. Recordó haber escuchado algo sobre aquella tierra lejana, pero no sabía decir exactamente qué podía ser. Rosa le había mencionado los canguros, "unos extraños animales que acarreaban sus crías en sacos abdominales, que corrían a saltos sobre sus dos largas patas traseras y peleaban como expertos boxeadores".

Ramón pensaba que Rosa se veía joven, atractiva y saludable. Cabellera rubia y lisa, de seguro teñida como era la moda, la cual le caía partida sobre la frente sin obstruirle los ojos, cubriéndole las orejas, mas no los finos aretes de perlas, y terminando sobre el cuello. Podía intuir que aquel pelo era recio y consistente, aunque luego reflexionó que bien podía ser una linda peluca, que coronaba aquel rostro bronceado debidamente sometido a los sutiles rigores de finos cosméticos.

Los ojos, grandes y expresivos, a medio abrir quizá por el fuerte sol, estaban rodeados por largas pestañas oscuras y coronados por cejas depiladas, del mismo color rubio oscuro del cabello. La nariz descendía desde el punto medio entre las cejas hasta el centro del rostro, como protuberante flecha, en que la luz había sombreado el semicírculo de las fosas nasales.

Los pómulos no eran salientes en exceso, sino más bien redondeados, débilmente coloreados de rojo. Las mejillas se presentaban un tanto carnudas sin llegar a la obesidad y terminaban en una quijada fuerte que al frente del rostro dibujaba una barbilla circular, que balanceaba y hacía juego con la redondez de los pómulos y la punta de la nariz.

## • 6 •

Aquella relación entre los dos compatriotas separados por un enorme espacio geográfico había alcanzado, a través de extensa correspondencia, los niveles de una amable amistad y confianza, al punto que las preguntas y respuestas fluían sin ningún conflicto por parte de ambos.

Estimada Rosa:

Se ve que para usted no fue fácil adaptarse a esa nueva cultura. El aprendizaje del idioma es clave. ¿Qué clase de estudios hizo usted en Australia? ¿Hay facilidades para estudiar una carrera? Yo aquí, a puro sacrificio y sin ayuda de nadie, pude tomar unos cursos de computación, los que me han ayudado para conseguir un trabajo de contabilidad en un almacén. Quisiera continuar mis estudios pero no he tenido la oportunidad ni los recursos económicos. Cuídese mucho.

Atentamente, Ramón "El Malquerido"

• • •

Estimado Ramón:

Yo empecé a ir a la escuela aquí en Australia meses después que había venido. Recuerdo que no dejaba de quejarme del tiempo tan largo que a diario pasaba en el centro educativo. Cuando llegaba a la casa tenía que hacer las tareas, comer, dormir y empezar con lo mismo el día siguiente. Los compañeros me parecían raros y poco amigables, pero era porque no me conocían.

Continué mi educación hasta el año 12, último de bachillerato, que aquí llaman "High School." Con el tiempo tomé un curso de "Housekeeping," Ama de llaves, para trabajar en un hotel; después estudié "Retail," para trabajar en almacenes, y también computación, lo que me ayudó a conseguir un excelente trabajo.

Mi tía comenta que la educación aquí en Australia es mucho mejor que la de nuestro país . . . Existe la oportunidad de ir a la "High School," gratis, y el gobierno ayuda para pagar los libros y cosas por el estilo. Las escuelas están equipadas con tecnología avanzada, tienen su propia biblioteca y los salones para educación física son grandes y ofrecen todo tipo de deporte.

Aquí realmente se puede salir adelante y ser lo que se desea, pero sucede que muchos no quieren o les cuesta aprender el idioma, y entonces no pueden continuar los estudios y se quedan desempleados, lo cual los acredita para recibir ayuda del gobierno, que muchos lo ven como dinero fácil sin tener que hacer nada, y se quedan así, dependiendo de esa asistencia. Es una lástima grande porque, sea lo que se quiera estudiar, el sistema lo facilita y ayuda económicamente para que se logre.

• 7 •

En el examen de la fotografía de Rosa, Ramón puso especial cuidado en la boca, pues presentía que sería la primera parte que besaría de aquel rostro. Lo satisfizo la discreta sonrisa dibujada en una ancha abertura bucal, los finos labios rosados y la dentadura blanca perfectamente alineada.

La expresión total del rostro de piel canela iluminado por una sonrisa estudiada parecía decir "¿Verdad que soy linda?" A lo que él, impulsado por cierto erotismo, afirmaba para sí: "Sí, mi amor, estás muy guapa", y se prometió que eso mismo le diría en el próximo correo que enviaría al terminar su exhaustivo análisis.

El triángulo de luz y sombra que el reflejo del sol conformaba en el espacio entre la barbilla y el cuello de la camisa demostraba que la nuca de Rosa era corta pero sólida, recia base para su cara sonriente coronada por una fina y cuidada cabellera que un leve viento australiano parecía extender sobre sus hombros.

Ramón concentró la atención en la blusa blanca de ancho cuello y la chaqueta azul oscuro de botones blancos, en los anchos puños de las mangas con mancuernillas doradas a cuyo final se entrecruzaban las manos broncíneas de dedos con uñas blancas, entrelazados, dos de ellos con anillos de oro opaco. Parecía que la unión de las manos sostenía los abultados senos ingeniosamente ocultos dentro de la elegante chaqueta, la cual también cubría la parte frontal y trasera del cuerpo. Ramón se preguntaba si el propósito de Rosa de vestir aquella prenda era ocultarle la sección media de su anatomía (cintura, estómago, entrepierna y trasero) o si era cosa de moda y elegancia. Lo cierto era que la foto no le revelaba nada de estas partes que él hubiera deseado ver y que seguirían siendo un secreto que él estaba esperanzado a descubrir un día no muy lejano. La chaqueta incluso caía sobre los muslos cubiertos por un pantalón blanco que tampoco mostraba los pies ni los zapatos, ya que los ruedos de éste topaban al suelo. ¿Tendría Rosa pies tan feos o deformes que no los quería enseñar? ¿Tendría él la osadía de preguntárselo o era mejor dejarlo para después de la boda? La experiencia le decía que las mujeres son muy cosquillosas con ciertos detalles de su anatomía, y era recomendable no aventurar, por el momento, una pregunta indiscreta que lo echara todo a perder, pues por lo general, concluyó que Rosa estaba hermosa y que sí, él por su parte estaba dispuesto a casarse con ella.

• 8 •

Estimada Rosa:

Lo que me cuenta de Australia en cuanto a la educación es realmente estupendo. Ya quisiera yo tener esas oportunidades. Pero aquí, todo lo contrario, el gobierno no ayuda para que el individuo se mejore por más que uno lo desee. Aquí se puede aplicar aquello de que "Dios le da pan al que no tiene dientes".

Se nota que usted sí ha sabido aprovechar esas oportunidades y ha estudiado. La felicito. Siga adelante. Y ya que se acercan las navidades, ¿cómo celebran nuestros paisanos estas fiestas en Australia? Desde ya le deseo una muy ¡Feliz Navidad!

Con el afecto de siempre, Ramón "El Malquerido"

• • •

Estimado Ramón:

La Navidad aquí en Australia es una experiencia muy triste para nosotros los latinoamericanos acostumbrados a celebrarla de diferente manera. Para empezar, el 24 de diciembre es un día cualquiera, ya que aquí la Navidad se celebra el 25, y el 26 es cuando se abren los regalos según la usanza australiana.

En realidad, la celebración depende de cada quien; si uno ya se adaptó a este sistema o no. La mayoría de paisanos siempre celebramos la Navidad el 24, y tratamos de incorporar las comidas de aquí a las nuestras; por ejemplo: el pavo horneado, tamales y otras comidas típicas, para sentirnos cerca de nuestra tierra de origen y recordar aquello que tanto añoramos.

Si no se tiene amigos o familia, puede ser uno de los tiempos más tristes, ya que ellos son los que proporcionan la alegría a la celebración. Y es por esa razón que muchos de nuestros compatriotas deciden viajar y pasar las vacaciones de Navidad en nuestro país, especialmente la gente mayor que, aunque tengan su familia aquí en Australia, para ellos la Navidad no es lo mismo.

La mayoría de nosotros acostumbramos reunirnos en casas de amigos y compartir juntos. En mi caso celebramos de dos maneras, porque una parte de mi familia es católica y la otra Testigos de Jehová. Almorzamos con una y cenamos con otra. La celebración en casa de los Testigos de Jehová no es muy alegre, porque la religión no les permite. Aunque a decir verdad, nosotros somos católicos de "nombre", porque con el pasar del tiempo nos hemos olvidado de asistir a la iglesia. A veces los horarios de trabajo lo impiden. La religión es algo que aquí no se le da mucha importancia entre nuestra comunidad, y creo que eso hace que nos olvidemos de ella. Pero sí existen algunas iglesias católicas donde se celebra la misa en español; allí asisten muchos para la Navidad, más que todo la gente mayor.

Pero sí, para Navidad ponemos nuestra música típica, las cumbias y los boleros que nos hacen bailar. Aunque lo cierto es que por dar un poco de felicidad a nuestras vidas nos ponemos muy sentimentales; recordamos tiempos pasados y nacen en nosotros sentimientos de alegría, tristeza y ansiedad. Extrañamos muchísimo la pólvora, ya que reventarla es prohibido aquí en Australia, y lo único que puedes quemar son las "estrellitas", que para los chicos es bonito, pero para los adultos no es gran cosa.

La celebración también depende de la situación económica de cada familia. Si se compra ropa nueva, la mayoría de veces es sólo para los niños. Pero regalos de Navidad nunca faltan. Esto es algo que ha cambiado un poco nuestras costumbres, porque la Navidad se trata de compartir con amigos y familiares, pero aquí el comercialismo es intenso y se le da mucho énfasis a los regalos, los niños se acostumbran a pedir cosas caras, y cada vez quieren algo mejor.

El clima para esta época es caliente. Y debido a eso la gente prefiere cocinar comidas frescas como mariscos y ensaladas. Sin embargo, muchos se hacen a la idea de la Navidad Blanca, con nieve y todo, y es por eso que cocinan comidas calientes. Para este tiempo a los australianos les complace decorar sus casas con luces y adornos a todo color. Es una costumbre que une a las familias y forma parte de una tradición. Todas las noches se ven miles de personas visitando esa extravagancia de luces. Es un verdadero espectáculo.

La primera Navidad que yo pasé en Australia fue horrible. Recuerdo que yo había amanecido triste. Mi mente viajaba a mi país y recordaba todo aquello que yo disfrutaba durante la Navidad. Pensaba: "En este momento estarán oyendo música, preparando el pollo . . . A esta hora me estuviera bañando para ponerme la ropa nueva . . . Ahora estuviera en la iglesia con mi familia . . . Estaríamos cenando . . . Reventando pólvora, etc." Todos estos pensamientos estuvieron conmigo el día entero. A pesar de que mi tía trató de que la pasara bien, no fue igual. La cena fue como cualquier otra, sólo que más noche. Cinco personas sentadas a la mesa: mis dos primos, mi tía, su esposo y yo. Nadie más. Comíamos porque sí. Escuchamos música por un rato. Luego vimos un poco de televisión y allí acabó todo. Mis familiares tomaron cerveza para ponerse alegres. Pero la verdad es que, al verlos alegres, me sentí peor y salí al balcón del apartamento a llorar, observando aquella soledad y la tranquilidad en que estaba todo. En los únicos lugares que se escuchaba música era en otra casa de alguien que hablaba español. Así me fui a dormir temprano . . . encerrada en mi cuarto sentada en mi cama . . . viendo por la ventana y llorando hasta que me quedé dormida.

• 9 •

Querida Rosa:

Disculpe mi atrevimiento de llamarle "Querida", pero es que su último correo sobre cómo pasó la primera Navidad en Australia me conmovió al punto de sacarme las lágrimas, y de querer consolarla siquiera con mis palabras. Créame que la comprendo y en este momento, si no fuera por la distancia que nos separa, le daría un caluroso abrazo y hasta un tierno beso de solidaridad y consuelo. Ahora comprendo lo doloroso que puede ser el exilio. Quisiera estar a su lado y demostrarle toda mi admiración y comprensión, pues una persona tan sensible como usted no merece el amargo sufrimiento de la nostalgia . . .

Por otro lado, si usted cree que este correo se ha sobrepasado y faltado a la confianza que hemos desarrollado a través de todo este año de comunicación, créame que no la culpo, fue mi error por dejarme llevar por la emoción, la comprensión y el cariño que siento por usted.

Con todo mi afecto, Ramón "El Malquerido"

Él no estaba seguro de cómo ella reaccionaría a aquella emotiva misiva. Pensaba que quizá había abusado de la confianza que aquella mujer le había brindado, a cuya comunicación ya se había acostumbrado y, por qué no aceptarlo, en lo profundo de su corazón él empezaba a enamorarse de ella, de su palabra franca, de su actitud decidida hacia la vida que por lo visto no había sido tan fácil para ella en aquella tierra al otro lado del mundo.

Dejó de asistir por varios días al café cibernético por temor a encontrarse con la furiosa respuesta de Rosa o, lo que era peor, ningún mensaje de ella, lo cual significaba que había roto las relaciones. Una tarde, después de un largo día de trabajo en el almacén, fue al café, alquiló una computadora y se conectó a la Internet, luego entró en el enlace de TierraLinda esperando lo peor. Para su sorpresa, en su casilla de correos se encontraba un mensaje de ella, el que empezó a leer con emoción.

Querido Ramón:

No sabes cuánto te agradezco tus palabras tan comprensivas sobre mi profunda nostalgia por nuestro país. Y para demostrarte que no me molesta, yo me tomo la confianza de tutearte y te pido que tú hagas lo mismo. Tu último correo me ha demostrado que eres una persona muy sensible a los sentimientos de tu prójimo. De ninguna

manera quiero perder tu amistad y deseo algún día
conocerte en persona . . .

Con todo mi amor . . . Rosa, "La Nostálgica"

• 10 •

Así, en aquella frontera cibernética demarcada por el territorio de
la nostalgia por un lado y el de la pobreza por el otro, se habían
encontrado Rosa y Ramón; se habían conocido y revelado pasajes
de su existencia, su circunstancia y sus deseos más íntimos y
reverenciados, hasta llegar a declararse el amor y la decisión de unir
sus vidas. El próximo paso acordado fue intercambiar fotografías.
Después, si ambos lo consentían, ella viajaría al pueblo natal para
conocerse en persona, contraer matrimonio y pasar la luna de miel
allí y, en cuanto le dieran la visa él viajaría a Australia para legalizar
su estadía y fundar con ella la tan anhelada familia.

• 11 •

Para satisfacer su parte del convenio, Ramón le envió a Rosa una
fotografía en blanco y negro, de medio cuerpo. Él explicaba en la
carta —después de los apasionados saludos— que sus limitaciones
económicas le impedían el lujo de tomarse una foto a todo color. Tu
belleza sí que merece ser fotografiada, le había escrito. Mi rostro,
como puedes ver, no lo amerita.

Rosa no se desanimó al sostener entre sus dedos nerviosos
aquella reproducción. Tomó asiento en un cómodo sillón y, con el
uso de una lupa, se dio a la tarea de analizar la imagen de su
potencial consorte.

Lo primero que atrapó su atención fueron los ojos negros y
grandes, y la mirada severa y profunda que de ellos emanaba. Esto
causó en ella cierta sorpresa que le hizo remontarse a oscuros
tiempos de su infancia, a recuerdos que ella había luchado por
relegar a lo más recóndito del olvido. ¿Por qué aquella ojerosa
mirada le crispaba los nervios?

No se explicaba por qué de pronto sintió la necesidad de
revelarle a Ramón ciertos secretos que por mucho tiempo había
escondido, y que ahora creía poder revelarle con toda confianza.

Aunque tampoco quería asustarlo con el drama de su pasado y correr el riesgo de perderlo. Pero él seguramente la comprendería como lo había demostrado a través de todo un año de larga comunicación electrónica.

• 12 •

Ese día, frente a la pantalla del computador, Ramón se disponía a enviar un correo cuyo texto apasionado había redactado en su agitada mente la noche anterior. Después de todo, se sentía muy complacido por el viraje que su amistad con Rosa había tomado, con quien seguramente se casaría, cuya unión representaba el pasaje a un nuevo mundo, a la existencia ideal tan anhelada y cimentada en amor, comprensión y progreso.

Era lo mejor que le había sucedido en los últimos tiempos. Se felicitaba por sus estudios en computación y daba gracias a la tecnología, en especial a la Internet, que había facilitado aquella magnífica oportunidad.

Presa de aquella emoción, entró en su casilla de correos, y le sorprendió encontrar un nuevo mensaje de Rosa. Usualmente, la cadena de misivas era iniciada por él, por una pregunta o un comentario a menudo amoroso, hechos con el propósito de mantener viva y vigente aquella relación electrónica. Por lo tanto, asumió que se trataba de una favorable reacción de ella a la fotografía que le había enviado a Australia hacía semana y media.

*From: Rosa <LaNostálgica@iprimus.com.au>*
*Date: Mon, 15 Jan 2001*
*To: Ramón <ElMalquerido@yahoo.com>*
*Subject: El pasado*

Querido Ramón:
    Recuerdo que hace un año, cuando nos encontramos en la Internet e iniciamos nuestra comunicación, mencioné que había emigrado a Australia por la guerra civil, y que me habían sucedido cosas horrorosas que prefería no mencionar. Bueno, pues ahora que hemos desarrollado bastante confianza —y amor— deseo narrarte esa memoria para que la conozcas de una vez por todas y que de mi vida

personal no quede la menor duda que en el futuro pueda oscurecer nuestra relación.

Nací en el caserío Las Hamacas, como bien sabes. Un día llegó el ejército del gobierno, como a las seis de la tarde, y nos encerraron en nuestras casas. A otros los sacaron y los tendieron en la calle boca abajo, incluso a los niños, y les quitaron todo: los collares, el dinero. A las siete de la noche sacaron a los otros habitantes a la calle y comenzaron a matar a algunos. A las cinco de la mañana pusieron en la plaza una fila de mujeres y otra de hombres, frente a la casa de don Celso. Así nos tuvieron hasta las siete. Los niños lloraban de hambre y frío. No teníamos qué comer ni con qué cobijarnos.

Yo entonces tenía 12 años y estaba en la fila con mis cuatro hermanitos. El más grande tenía nueve años, el mediano cinco, la otra tres y la pequeña ocho meses en brazos de mi madre. Mi madre y yo llorábamos junto a ellos. Mi padre guardaba silencio. A las siete de la mañana aterrizó un helicóptero frente a la casa de don Celso y se bajó una tropa de soldados. Llegaron hacia nosotros y nos señalaron con los fusiles. Entonces encerraron en la ermita a los hombres, incluso a mi padre. Pensé que tal vez a nosotros no nos iban a matar. La ermita estaba enfrente. A través de la ventana veíamos lo que estaban haciendo con los hombres. Ya eran las diez de la mañana. Los tenían maniatados y vendados y se paraban sobre ellos; a algunos ya los habían matado. A las 12 del mediodía ya no había un hombre vivo. Yo lloraba por mi padre. Luego escogieron a las muchachas para llevárselas a los cerros. Las madres lloraban y gritaban que no les quitaran a sus hijas, pero las rechazaban a culatazos.

A las cinco de la tarde me sacaron a mí junto a un grupo de mujeres. Yo me quedé la última de la fila. A nuestro paso veíamos la montaña de muertos que habían ametrallado. Las demás mujeres se agarraban unas a otras para gritar y llorar. Yo sentía que me desmayaba de la aflicción y el terror. Habían matado a mi padre y me separaron de mi madre y de mis hermanos. Yo lloraba a gritos desesperados. Unos soldados le pusieron fuego a las casas donde estaban los muertos. Se oía el llanto de un niño dentro de la fogata.

Escuché que un soldado dijo: "Nos han dado la orden de no dejar vivo a nadie porque son colaboradores de la guerrilla". Yo reconocí a varios de ellos porque eran de nuestro pueblo. Uno era hijo de don Teodoro, a quien también mataron junto a su mujer y sus otros hijos. De seguro que el muchacho vio cuando mataban a su misma familia, porque allí andaba él.

El hijo de don Teodoro se unió a los soldados que llevaron a las mujeres al cerro. Él se encargó de mí. Cuando llegamos a una arboleda empezaron a desnudar a las mujeres y a violarlas. Luego las mataban a balazos. Yo había perdido las fuerzas completamente y sólo gemía. Escuchaba los gritos de las otras muchachas pidiendo que no las mataran. El soldado me empujó y caí al suelo, luego se tiró sobre mí como una bestia. Sólo recuerdo su cara frente a la mía, sus ojos negros con manchas como grandes ojeras, su aliento caliente y jadeante. Perdí el conocimiento por completo.

Cuando desperté me sorprendió estar viva. Encima de mí había muchos cadáveres desnudos y ensangrentados. Encontré un vestido entre los arbustos, me lo puse y así escapé, cruzando las quebradas en lo oscuro y rompiendo el monte con la cabeza. Atravesé por casas en las que sólo había muertos. Llegué cerca del río. Allí me quedé en una choza. No paraba de llorar por la pérdida de mi familia. Después de varios días una niña me encontró y fue a avisar a su madre. Me reconocieron y se asustaron. Luego me abrazaron. Ellas sabían que yo vivía en Las Hamacas. Me preguntaron por sus familiares. Tartamudeando les dije que a todos los habían matado. Empezamos a llorar juntas.

Me ayudaron a caminar. Yo tenía siete días sin comer ni beber nada. Llegamos a un escondite y allí había una mujer que había perdido a sus hijos. Toda la tarde la pasamos llorando.

Como había quedado sin familia me llevaron a un campamento de refugiados. Allí me encontré con un tío, hermano de mi madre. Al principio no comía ni bebía. Me daban jugos de naranja a la fuerza, porque yo pasaba el día llorando. Mi tío pidió que me entrevistaran de una organización internacional que visitaba el campamento. Les dijo que yo tenía una tía en Australia, con quien se comunicaron y le explicaron mi situación. Ella decidió pedirme bajo el programa de "Family Reunion" auspiciado por la Organización Internacional de Migraciones.

Así llegué a Australia en 1982, a la edad de 13 años, huérfana y con muchos problemas emocionales, los que logré superar con el amor de mi tía y los cuidados intensos de un psicólogo. Han pasado dieciocho largos años, tengo 31 años, mis heridas han cicatrizado pero, de vez en cuando siento los aguijonazos de la memoria de esa terrible masacre que sobreviví milagrosamente.

Espero que me comprendas, Ramón.

De Australia con amor, Rosa "La Nostálgica"

• 13 •

Aquel trágico mensaje de Rosa conmocionó de manera profunda los sentidos de Ramón. Lo remontó a aquel sangriento hecho de veinte años atrás en el que él había tomado parte. Él era nada menos que aquel hijo de don Teodoro a que Rosa se refería. Él participó en la exterminación masiva de los habitantes de su pueblo y presenció la muerte de su propia familia a mano de sus secuaces.

Por mucho tiempo trató de borrar aquella época de terror emigrando a la ciudad, adoptando un nombre diferente, estudiando una nueva profesión, casándose una y otra vez para hacer una familia que le sirviera de cicatriz y consuelo, pero que sus instintos violentos llevaron al fracaso y lo separaron de sus cuatro hijos.

El problema mayor era la conciencia, la cual le remordía al punto de no dejarlo en paz. Su sueño era asaltado por constantes pesadillas en que los gritos de niños, mujeres y ancianos clamando piedad lo despertaban enloquecido a media noche, y ya no le permitían dormir. Se había hecho un hombre solitario y desconfiado de todo el mundo. Y cuando creyó que el impersonal y aislado método de comunicación por la Internet le había hecho descubrir a Rosa, su salvación y su futuro, ahora consideraba a aquella mujer un verdadero peligro, porque era obvio que ella sospechaba de él, que quizá había descubierto su verdadera identidad en la foto y, si se casaba con ella, con el tiempo saldría a la luz que él fue uno de los sicarios que exterminó a su familia, y posiblemente lo mataría como venganza.

Era probable que aquellos oscuros pensamientos fueran producto del profundo sentimiento de culpabilidad que lo acongojaba a pesar de que asistía a la Asamblea de Dios y leía a diario su inseparable Biblia. Le había rezado tanto a Dios y jurado sumisión y arrepentimiento absoluto para lograr la paz de su alma pero todo había sido en vano, lo cual le hacía pensar que el Todopoderoso no se involucra en el comportamiento de los seres humanos, que cada uno está en la libertad de ser su ángel o su demonio; su bienhechor o su verdugo.

Por otro lado, le resentía haber perdido a alguien como Rosa porque estuvo muy cerca de conseguir la gloria en unión de ella. La guerra civil lo había marcado para siempre; era su maldición eterna. Y pensar que él no había sido más que un simple peón en esa guerra oscura; entrenado a recibir órdenes y a cumplirlas al pie de la letra sin reparos. Él fue un excelente soldado defensor de la patria como se le había exigido. Entonces, se preguntaba, ¿por qué lo atormentaba tanto la conciencia? ¿Por qué Dios, la vida y el destino se negaban a perdonarlo? ¿Habrían corrido igual suerte los que estaban al mando de aquel genocidio? Seguramente no, pensaba. El Tratado de Paz había proclamado amnistía general, perdón ciego y absoluto a ambos bandos en pugna sin importar la responsabilidad ni la ferocidad de los genocidios. ¿Por qué entonces la conciencia lo torturaba tanto a él? ¿Les remordería con igual intensidad, o de peor forma, a los otros responsables? ¿Al alto mando? ¿A los políticos? Era difícil para él saberlo. Lo cierto era que para Ramón la guerra había sido un verdadero infierno, cuyas voraces llamas se habían extendido hasta su vida actual, supuestamente una época de perdón y paz, para convertirse en parte de su cotidiana tortura.

• 14 •

Ramón nunca volvió a escribirle a Rosa después de haber recibido su testimonio. Ella se preguntaba si en realidad él era uno de los despiadados que habían masacrado a su pueblo, y que no había sido capaz de enfrentar a una de sus víctimas.

Era la segunda vez que el destino le negaba el amor de un hombre. La diferencia cultural había sido la raíz del fracaso de su primer intento matrimonial con un australiano blanco de cabello rubio y ojos azules. En el segundo intento, contrariamente, la extrema similitud cultural, marcada por una historia cruel y violenta, era la culpable de no haberle permitido consumar la unión con uno de sus paisanos.

Pero era mejor así, pensaba Rosa, porque aquel paraíso que el amor de Ramón prometía, acaso con el tiempo se hubiera vuelto un verdadero martirio.

Desde su lado del mar continuaría navegando con entusiasmo las inmensas olas electrónicas de la Internet. Quién sabe. Acaso algún día encuentre el cibernauta ideal que toda persona sedienta de amor busca en aquella inmensa dimensión. Ella era sobreviviente de las peores tragedias, lo cual la había dotado de una profunda esperanza por la vida y el amor.

# Paraíso portátil

En el "Día Internacional del Inmigrante",
18 de diciembre, designado por la Organización de Naciones Unidas.

Como la tortuga
en la espalda acarreo mis posesiones
todo lo que soy y no soy
sueños, victorias y derrotas
amores, odios y desconsuelos
presente, pasado y futuro
mi principio y mi fin.

En el alma llevo herramientas
para erigir un paraíso
donde me toque vivir
así sea el infierno, el cielo o el purgatorio.

Cargo conmigo máscaras y disfraces
lenguas antiguas y modernas
artimañas y costumbres
ilusiones y desilusiones
mentiras y verdades
para toda clase de circunstancias
lugares y gentes
para cruzar fronteras
físicas y mentales
que obstaculizan mi ruta.

Soy yo y mi particular odisea
pero también soy éste y aquél
esto y aquello
humano, animal y cosa.

No me detienen leyes denigrantes
muros militarizados
violencia ni miseria
racismo ni ferocidad
tristeza ni felicidad.

Estoy y no estoy, aquí y allá.

En mi tierra de origen soy
querido y odiado
el hermano lejano y cercano
el bueno y el malo
el que se fue y regresa
el que nunca partió ni volvió
el que salva a la patria de la perdición
el que la hunde en el caos
el Caín y el Abel
el alfa y el omega
el ignorante y el sabio
el héroe y el indeseable
el exilado ignorado
el compatriota admirado.

Un día aparecí muerto en el desierto
señalado como el más detestable
de los seres humanos
pero mi nagual lanzó una carcajada
un suspiro y una lágrima
y siguió adelante a donde voy y no voy
a donde me esperan por mi mano barata
y me rechazan por mis sueños caros
portando documentos legales y falsos
tras la supuesta tierra prometida
donde cada día vivo tragedias
divinas comedias y mil y una noches.

Allá, lejos
en el frío norte
en el caluroso sur
en el indiferente occidente
en el lejano oriente
allá, aquí, en todas partes
hoy, mañana, siempre
como la tortuga
a mis espaldas llevo
la esperanza y la cruz
la oscuridad y la luz.

# Epílogo

A LA PRESENTE OBRA —la cual combina narrativa y poesía— mueven tres conceptos fundamentales: emigración, guerra y frontera, comprendido este último desde la frontera material a la abstracta, desde la intelectual a la mítica. La frontera puede ser un obstáculo que divide nuestro espacio personal en una circunstancia actual y otra ideal, pero también puede ser la meta que aspira alcanzar, o rebasar, la creación artística.

Como en el caso de mi primera novela *Disparo en la catedral*, en que ciertos pasajes de la guerra civil salvadoreña demandaban independencia literaria y se convirtieron en piezas breves para conformar la colección *Árbol de la vida: historias de la guerra civil*, de parecida manera nacieron los trabajos que integran el presente volumen: pasajes y experiencias de la historia de la emigración latinoamericana a Estados Unidos y Australia que se negaron a integrar la novela *Odisea del Norte*.

A la presente colección constituye una variedad de historias y géneros literarios unidos por el común denominador que es la emigración. Como la vida, el amor y la muerte, la emigración es uno de los grandes dramas humanos y por lo tanto un tema literario universal de todos los tiempos. Lo que cambia son los puntos de partida y de llegada: la vieja tierra que dejamos atrás con tristeza y la nueva hacia la que partimos llenos de esperanza; así lo registran pasajes de libros clásicos como la Biblia, la *Odise*a y el *Popol Vuh*; las grandes emigraciones de la América nativa en tiempos precolombinos, las sucesivas emigraciones europeas al nuevo continente, y la reciente y masiva del sur al norte americano.

La emigración es un elemento que desgarra la psique humana; es un punto de resignación, de negación, de partida y de entrega a desconocidos elementos naturales y culturales; es el rompimiento con el pasado y la búsqueda del futuro. Y todo eso representa un drama, una tragedia, una felicidad y a veces también un inesperado final como en el caso de los que mueren en el mar, en el desierto, en la frontera de los sueños, en busca de nuevos horizontes.

La emigración puede convertirse en la realización de los sueños de felicidad y libertad como también puede representar un despertar, una toma de conciencia de que al fin y al cabo únicamente somos ciudadanos de nuestro corazón, ese lugar mítico que sólo pertenece a nosotros y que carece de leyes migratorias, como lo diría el pintor Marc Chagall, quien emigrara de Rusia a Francia:

> Sólo es mío el país
> que llevo en el alma.
> Entro en él sin pasaporte,
> como en mi casa.

Me considero un escritor producto de la guerra civil de los años ochenta de El Salvador, mi tierra de origen, de ahí que el tema de mis primeras obras fuera el drama de ese conflicto bélico. Una de las grandes consecuencias de ese período histórico fue el masivo éxodo salvadoreño a Estados Unidos y al resto del mundo, lo que me inspiró a escribir *Odisea del norte*, *Vato Guanaco Loco*, *Viaje a la tierra del abuelo* y ahora *Paraíso portátil* —después de haber escrito *Disparo en la catedral* y *Árbol de la vida: historias de la guerra civil*— pues estos dos períodos de la historia salvadoreña moderna están mutuamente conectados, y han dejado en mí una huella profunda, tanto material como emocional y, por lo tanto, literaria.

Las piezas incluidas en la presente colección enfocan diferentes aspectos de la realidad que enfrenta el inmigrante.

"La viuda de Immokalee" enfatiza algunas de las dolorosas implicaciones de la emigración como la fragmentación de la familia y los conflictos que ello crea en los diferentes personajes representativos de la comunidad emigrante, así como el duro trabajo de los jornaleros cuyas vidas se consumen bajo el candente sol y el desolado ambiente de las granjas de legumbres en pos de los dólares que alimentan a su familia, generan enormes ganancias para una gran variedad de industrias (aerolíneas, comunicaciones, agricultura, etc.) y mantienen a flote la economía de sus países de origen. Todo el mundo se nutre del sudor y la sangre del inmigrante, pero pocos lo reconocen y, en muchos casos, se le trata como persona de tercera clase en vez de enaltecer su labor y sacrificio.

"El nagual" recurre a la mitología maya y a un pasaje del *Popol Vuh* para concebir una historia en que se manifiesta el menosprecio de las raíces ancestrales por la búsqueda de una cultura y una tierra supuestamente "superior". Trata de demostrar que no importa adónde vayamos o en qué clase de persona nos convirtamos en el nuevo mundo, en nuestro ser llevamos la indeleble marca de nuestros antepasados.

"El niño dragón" fue un cuento bastante difícil de escribir porque es el vivo drama de los niños huérfanos a causa de la guerra civil, combinado con el tema del abuso y la explotación sexual de menores de edad. Es necesario aquí destacar la tarea de Pro-Búsqueda, sociedad que con éxito ha localizado a muchos de los niños víctimas de la guerra y los ha reconectado con sus familias, devolviéndoles así una parte sagrada de su pasado. Jon Cortina, ese gran jesuita español que dedicó su vida a las clases pobres de El Salvador, ofrendó mucha de su energía a este singular esfuerzo. Destacable también es la obra de Casa Alianza Latinoamérica, organización que provee refugio y atención a los niños vagabundos de Centro América.

"El vigilante" es un relato que refleja la ambición del inmigrante por poseer un fragmento material de su tierra de origen, lo cual ha generado una verdadera industria, trabajo y, por supuesto, los consecuentes problemas delictivos. En esta pieza se filtran otros conceptos como la diferencia de clases; los que tienen mucho y los que carecen de los mínimos recursos económicos para sobrevivir.

"La tierra del poeta", es el relato de la patria que el emigrante lleva en su corazón; lugar mítico que en muchos casos sólo existe en su memoria, desfigurado por la distancia y el ferviente deseo de retornar cierto día, tal vez nunca, a las raíces. La ironía del destino y el concepto de la fama descrito por Virgilio en la *Eneida* influencian este experimento literario.

"Odisea del mar" narra la difícil travesía a que se someten los balseros haitianos para alcanzar las costas norteamericanas y su dificultad de ingresar en este país por razones políticas y prejuicios raciales. "Odisea del mar" presenta una increíble historia de supervivencia, contrapuesta a una situación legal y política que parece ignorar el sufrimiento de los náufragos. Cabe mencionar que este relato fue originalmente publicado en francés, bajo el título de "Odyssée en mer", en la revista *Boutures* de Puerto Príncipe, Haití, en septiembre de 2000. Traducción de Anne-Marie Andreasson.

"El plan" es una historia del retorno a la tierra de origen después de largos años de ausencia, en que la vida del personaje central ha cambiado rotundamente desde el punto de vista económico. Se fue huérfano y desamparado y regresa influyente y millonario; pero al volver trae un plan de venganza, la cual lleva a cabo de manera fría y planificada, con resultados trágicos para sus enemigos. Es, asimismo, un relato de la corrupción y las consecuencias que ésta tiene en las clases menos privilegiadas. En este sentido, el escrito no deja de pecar de cierto romanticismo, pues la realidad demuestra que la corrupción está instalada en muchas de las esferas del poder, y que en muy contados casos es debidamente perseguida y erradicada por la justicia.

"El paso" refleja el sufrimiento al que se somete el indocumentado para cruzar ese río que obstaculiza sus sueños; esas turbulentas aguas que han inmolado cientos de vidas, cuyas imágenes los medios de comunicación capturan y transmiten con persistencia enfermiza y sensacionalismo, como si se tratara de un vulgar espectáculo y no de una tragedia humana. Para los medios de comunicación estas dramáticas imágenes representan la posibilidad de elevar el *rating* de sintonía, pero para el inmigrante son el reflejo de su desdicha, su vida y su muerte. El cada vez más difícil paso ha convertido a la frontera en un verdadero muro de los sueños. Pero, como ha demostrado la historia, ninguna muralla, por inexpugnable que sea, es capaz de detener al ser humano cuando éste es azotado por el sicario de la miseria y la opresión.

"Las ilusiones de Juana" tiene como punto central la nostalgia por el lugar de origen, y ese deseo visceral del desterrado de mantener viva a toda costa la conexión directa con su tierra natal, aún cimentada en algo tan frágil como una planta de aguacate, la cual se convierte en el centro de la existencia de Juana. Otros temas del relato son la fragmentación del seno familiar producto del choque cultural que sacude al inmigrante en la nueva tierra, y la soledad que le invade en ese mundo de aislamiento y de costumbres ajenas.

"Amat el peregrino" narra la travesía del ser humano por los diferentes rumbos del destino que lo lleva a la búsqueda de sus ancestros y su historia personal y que, al final, lo retorna a su punto de origen, completando ese círculo del cual la existencia es sólo una parte. La pregunta clave es si el personaje central, aún cuando ha encontrado la mítica tierra prometida, será aceptado por los dioses del edén o relegado al mundo de las tinieblas. Al igual que "El nagual," esta historia se inspira en cierto pasaje del *Popol Vuh*, ese libro fabuloso y fundamental que documenta la singular imaginación de nuestros antepasados mayas.

*De Australia con amor,* novela breve, incursiona en el tema de la emigración salvadoreña a Australia, país al cual, a diferencia de la emigración a Estados Unidos, mi obra no se había asomado antes. *De Australia con amor* combina conceptos como la poderosa fuerza de la nostalgia del emigrante por la tierra de origen y la destrucción de las fronteras comunicativas que representa la Internet, la que nos puede proveer sorpresivos encuentros en medio de ese inmenso mar de hondas electrónicas que a diario surcan millones de cibernautas en busca de amistad, comunicación, amor y la tierra prometida. Los detalles de las vivencias de nuestros hermanos en Australia se basan en investigaciones recogidas de miembros de esa comunidad, a la cual —resumido en el nombre simbólico de *Verónica*— está dedicada esta obra. Otros temas de fondo tratados son los genocidios de la guerra civil, los cargos de conciencia que abaten a los verdugos y las heridas incurables de las víctimas. La revelación de uno de los personajes se basa en el testimonio de Rufina Amaya, nativa de El Mozote, quien milagrosamente sobrevivió la masacre que le arrebató a su esposo y sus hijos, cuyas palabras representan un elocuente y auténtico documento histórico, prueba irrefutable de la tragedia sucedida en 1981 en su pueblo natal. A esta valiente sobreviviente también está dedicada la obra.

Como siempre sucede, una cosa es el propósito del escritor y otra es el resultado final: la obra. Espero al menos que la lectura de estos textos haya llevado al amable lector a la frontera de las ideas literarias, y no a la frontera de las pesadillas.

El cuento siempre ha sido, para mí, más difícil que la novela; pero, paradójicamente, es el que me prodiga mayor entusiasmo para la experimentación literaria, y profundas emociones estéticas. Ciertos lectores benévolos han expresado que algunos de mis intentos recopilados en *Árbol de la vida: Historias de la guerra civil* son dignos representantes del género, lo cual me impulsó a escribir los presentes y a experimentar con otros temas. Sólo espero que el bondadoso lector haya encontrado alguna de estas piezas digna de su cordial atención.

Extrañamente, el título de la presente colección, *Paraíso portátil*, pertenece a un poema y no a un relato. Perdóneme el afable lector mi osadía de incluir aquí estos versos emigrantes. La poesía posee esa fuerza de síntesis, de expresar con pocas palabras un sentido de deslumbramiento y revelación que a veces no se logra con un breve cuento ni con una voluminosa novela. Es un don particular de la poesía. Y quiera la suerte que en estos poemas siquiera haya un verso que justifique el esfuerzo.

*Mario Bencastro*
*Enero de 2007*

# PORTABLE PARADISE

Mario Bencastro

Translated from Spanish
by John Pluecker

Arte Público Press
Houston, Texas

# About the Author

MARIO BENCASTRO (Ahuachapán, El Salvador, 1949) is the author of prize-winning work published in Mexico, El Salvador, Haiti, Canada, the United States and India. His work has been translated into English, French and German.

His published works include: *A Shot in the Cathedral [Disparo en la catedral]* (Arte Público Press, 1996; Diana, Mexico 1990), finalist for the Premio Internacional Novedades y Diana, Mexico, 1989; *The Tree of Life: Stories of Civil War [Árbol de la vida: historias de la guerra civil]* (Arte Público Press, 1997; Clásicos Roxsil, El Salvador 1993); *Odyssey to the North [Odisea del Norte]* (Arte Público Press, 1999; Sanbun, New Delhi, 1999); *A Promise to Keep [Viaje a la tierra del abuelo]* (Arte Público Press, 2004).

Mario Bencastro's stories have been selected for inclusion in anthologies like *Where Angels Glide at Dawn* (HarperCollins, 1990), *Turning Points* (Nelson, Ontario Canada 1993), *Texto y vida: Introducción a la literatura hispanoamericana* (Hartcourt Brace Jovanovich, Texas, 1992), *Antología 3x5 mundos: Cuentos salvadoreños 1962-1992* (UCA Editores, San Salvador, 1994), *Hispanic Cultural Review* (George Mason University, Virginia, 1994), *Vistas y voces latinas* (Prentice Hall, 2001), *En otra voz: Antología de la literatura hispana de los Estados Unidos* (Arte Público Press, 2002), *Herencia—The Anthology of Hispanic Literature of the United States* (Oxford University Press, 2002).

Learn more about the author at www.MarioBencastro.org.

# *Arizona*

The fallen immigrants
are people with no faces
the wind has erased their names
the river their dreams
the desert their bodies.

How many Josés have perished?
How many Marías?
How many Juanitos?

The ominous death count
neither frightens the statisticians
nor shocks humankind
nor provokes a single tear
from the world's cold eyes.

No one is moved by the heroism
of women and men,
old and young
whose only sin was to dream
of crossing a border,
a wall, a desert, a river, an ocean
in search of a promised land
to be found
only in the hereafter.

# The Immokalee Widow

LIFE FOR AN IMMIGRANT was hard and at times strange in that place called Immokalee. Not far from Miami, Immokalee, founded in 1873 and at one time inhabited by Seminole Indians, means "my home" in their native language—an ironic name considering it was surrounded by extensive plantations and the place had little or nothing to do with home. At least, that was Medardo's experience, a man who, like thousands of day laborers, had come to work the *pizca*, the harvest season for vegetables and citrus.

During the sizzling Florida summers, Immokalee has the air of a ghost town, but at harvest time, it is transformed, shaking out if its slumber and feeding on the life thousands of immigrants from Mexico, Central America and Haiti with their energy and hunger for dollars. During the day, they toil in the vast fields, and at night and on weekends, they pack the streets, stores and bars. The little town becomes a very different place: even the residents change, letting out all their skills, virtues and vices.

The overwhelming swarm of laborers that invaded Immokalee that year caused a dire shortage of housing and lodging. The ones who arrived early and with some luck were able to rent mobile homes with a bedroom, a small kitchen and a bathroom. Although these accommodations were practically in ruins and had no air conditioning or electric wiring, the cost to rent them was exorbitant —sometimes up to $400 per week, which the renter would be able to pay only after renting out places to sleep on the floor to ten or twelve laborers.

Medardo was one of many people who couldn't find any housing at all, expensive or cheap. He was forced to sleep in the street and sometimes in the middle of fields on the farm where he worked. His body was feasted upon by the huge number of voracious mosquitoes.

His luck changed a few weeks later one Saturday night in a crowded bar, when he coincidentally ran into an old friend he had met at a pork processing plant. He couldn't remember if it was in Oregon or Iowa. When his friend heard about Medardo's bad luck, he suggested he go to see Doña Eduviges, a widow who rented rooms in her house and might have some space available.

His need to sleep in peace was so dire that Medardo scribbled down the address and immediately headed out into the street to look for the house, which turned out to be close to the bar. He found it without too much trouble. Even though it was already after eleven at night, he mustered the courage to knock quietly on the door.

To his great relief, the light came on at the front door. A woman in a housecoat opened the door a little and asked him what he was looking for. Medardo explained what he wanted. With eyes wide, she looked the young man over from head to toe and allowed him inside.

From her years of experience, the woman knew very well that the man would be willing to pay any amount for a place to stay, but before allowing him to move in, she asked him for some information —full name, country of origin, work, salary, references—to make sure she was dealing with a respectable person. As the young man answered her questions, she meticulously examined him, as if she were taking measurements of his body and all its parts, which made Medardo feel quite uncomfortable.

Once she was satisfied with the information he gave her, Doña Eduviges explained she had her own rules in her house, and her renters had to follow them to the tee. She wanted to know if he understood her and if he was willing to follow them. The young man nodded his head to say yes, even though the strange woman hadn't explained the rules to him, but he was willing to follow them, no matter what they turned out to be.

Doña Eduviges led him down a hallway, opened a door and showed him a tiny room, almost the size of a closet, with a mattress on the floor. When Medardo heard the price, he couldn't believe it. It was triple what they were charging in a mobile home for the same amount of space; nevertheless, his need to sleep in peace won out, and he agreed to pay all that money weekly. Doña Eduviges insisted he would have to pay one month's rent in advance, immediately, if he wanted to start staying there that same night.

Medardo pulled out a wad of dollar bills and handed the woman the amount of money they had agreed upon. She pointed out the bathroom at the end of the hallway and walked away. He decided to take a shower, which turned out to be refreshing and calmed his nerves.

Finally, he could sleep in peace. He opened the backpack he always carried with him and took out his few possessions to arrange them along the wall: a change of clothes, underwear and a pair of socks; a small glass container with an ounce of soil in it; a scapular of Saint Christopher, patron saint of travelers; a statue of Quetzalcóatl, the all-powerful Aztec god; and an image of the Virgen de Guadalupe with a prayer for miracles on the other side.

Inside the little glass jar there was a handful of earth from the place where Medardo was born, part of his homeland he carried with him in his heart. He would never have left his land had it not been for the miserable living conditions. He was completely sure the Saint Christopher scapular had prevented him from being caught when he crossed the border. Quetzalcóatl led him through the Arizona desert and saved him from dying of thirst when the *coyote* abandoned him in the burning sands of cactus and poisonous reptiles. The Virgen de Guadalupe had miraculously found him work and a place to stay in Immokalee. He had faith in his gods that protected him from bad *coyotes*, the Migra, exploitative bosses, the police and the bullies who got drunk and came to the town to mess with them and let out their anger on the immigrant workers. They blamed them for all the evil in the world and for bringing trouble to the colossus of *el Norte*.

Medardo had undressed and was just turning out the light and closing his eyes, drifting off to sleep, when he heard a light knock on the door of his tiny bedroom. He was going to ask what they wanted, but before he could, the wooden door opened and, in the light of the hallway, he saw the chubby body of Doña Eduviges in her housecoat, asking in a whisper, "Is everything alright?"

"Yes, everything's fine," he responded trying to cover up his body.

Doña Eduviges didn't say another word; she just walked in, shut the door, took off her housecoat and lay down on the mattress. Surprised by this unexpected assault, the boy was swallowed up in the voluptuous flesh of her body; he had been paralyzed, over-whelmed by the expert stroking of this sexually ferocious woman. Her hands had seemingly multiplied and her kisses and agile, wet tongue covered the most sensitive parts of her prisoner. Under that avalanche of passion and pressured by the desire of this animal in heat, Medardo had no other choice but to respond with his own powerful weapons. They went at it for long time, and when finally the woman had satisfied her voracious sexual appetite, she got up, put on her housecoat, opened the door and, before leaving, said in an authoritarian voice, "This is the first commandment. You have responded very well. Goodnight."

Medardo was left in the darkness with a million confused ideas rolling around in his head. He had just experienced something very strange. It was true he satisfied his physical needs and enjoyed Doña Eduviges' erotic skill, but he found it strange he wasn't the one who had tried to get her in bed; rather, he had been sought out for the first time in his life. Or, to put it another way, he had been used—even abused. In any case, he slept very soundly that night.

The next day, Sunday, Medardo got up at about eight in the morning, washed his face and went out toward the center of the town. The laborers were taking advantage of the weekend to wash their clothes in the Laundromats, buy groceries for the week, send money to their families and call them on the phone to get updates from their home countries and loved ones. If there was any time or money left that day, they'd eat food from their countries in the few restaurants in the area.

Life for immigrants is divided in two. Mentally, immigrants live in their own countries, but since they are so far away, those are converted after a while into nostalgic places and acquire almost mythical proportions. Physically, these people live in the country where they are working, the one providing them with money and their families' livelihood. So, in this constant flux between two worlds, the seasons pass, the harvest ends in one place and starts in another; the immigrants come and go, forever guided by the compass of work. Time also takes its share of the immigrants' existence and leaves deep marks in their bodies and minds of their personal odysseys, hard work, wanderings and the great distance between them and their loved ones. But the immigrants must push forward because poor, defenseless masses—entire countries—depend on their sweat and the dollars earned through intense sacrifice. This sacrifice is not recognized by their countries or their family members, who, on the contrary, demand even more of them.

Medardo did all his errands for the day. He sent money to Lorenza, his wife, just like he did every week, and then talked on the phone with her. She told him the good news that everything was fine in his village, that his children were growing up and getting good grades in school, that the remodeling of the house was well underway: they had already rebuilt the walls of the kitchen and living room with concrete and the contractor was waiting for another pay installment to move on to the bedrooms. The house was going to be spacious and beautiful; it would be a joy to live in. Once the interior patio was rebuilt and they added the iron fence at the edge of the street, it would be one of prettiest houses in the town. And it was all because of Medardo's work in El Norte; that was why his children, his wife and all his family prayed every day for the Virgen de Guadalupe to protect him. The good news made Medardo happy; it gave him more energy to continue gathering tomatoes and cucumbers under the intense Florida sun.

Sunday afternoon was coming to an end. After eating a huge dinner and walking around the center part of Immokalee, Medardo headed back to the place he was staying, thinking he would get to bed early, since the next day he had to get up at dawn to begin another week of hard work. He knocked on the door, and Doña Eduviges opened it. The woman looked the same as the day before. She was wearing a long, baggy housecoat with flowers on it, which seemed to be her favorite outfit. She scrutinized every detail from head to toe with her big black owl eyes, a look Medardo had decided to start getting used to. Doña Eduviges asked him to step into the living room to talk for a moment; without waiting for an answer, she walked ahead, and he followed behind her without so much as a word. Medardo took a seat on the comfortable sofa, facing Doña Eduviges, who wouldn't stop staring at him. She had a hint of a smile on her face, which (perhaps driven by his own machismo) he interpreted as a signal of approval for the sexual services he provided her the night before.

From the room next door, he heard a song that was popular in the sixties playing loudly; back then the song already seemed old-fashioned, its tune and its lyrics. The volume of the music was so loud that Doña Eduviges had to shout, projecting her voice and glaring into the room next to them. "Tony, turn that thing down! Come say hello to the new boarder." Then she spoke to Medardo, "This son of mine is just in love with those old songs! He listens to them day and night."

The sound of the music decreased and a young man, about twenty-five, walked in with a rebellious, angry attitude. He looked at Medardo with an obvious discomfort and, without hesitating, said right to his face, "Oh, I get it. You're my mom's new lover."

Doña Eduviges stood up from the sofa, walked over to her son and slapped him hard on his face. The young man took it with an amazing sense of calm, as if he had expected it and the impact gave him a certain pleasure. Then he left the room and shouted from his room, "You're a whore!"

Doña Eduviges walked toward his room, determined to confront her son, but he slammed the door hard in her face and locked it. She walked back to the living room and sat down.

Medardo had not moved from his seat, nor did he utter a single word. He was paying complete attention to the strange drama taking place before his eyes. He could hear the pitiful, nasal voice of Bob Dylan, this time with the volume turned down low.

How does it feel?
to be on your own
with no direction home
like a complete unknown
like a rolling stone.

Doña Eduviges stammered, "It's already dark."

"Yes," Medardo seconded. "It's time to sleep. Tomorrow I have to get up at four in the morning to go to work."

"Goodnight," said Doña Eduviges.

"Goodnight," said Medardo as he headed out to his room.

The story of Doña Eduviges, like that of innumerable immigrant women, was one of struggle and bare survival. Years before, she had gone to Immokalee during harvest season. Her young, svelte figure was her ticket to surviving in the world of smugglers, undocumented immigrants and exploitative bosses. It was a completely hostile world for a woman, a world in which she was sexually abused by *coyotes* before crossing the border, by immigrants who deceived her with false promises of love, by bosses who promised her better work and pay and eventually abandoned her. Finally, she built a home with a retired American farmer, and when his old, weak heart stopped working, he died and left her that old house in Immokalee. For a while, she earned a living cleaning rooms at hotels in nearby cities and providing housing to day laborers during the vegetable harvest season.

Meanwhile, Tony, her only child, had grown up faraway in her native country under the care of his maternal grandmother, who was overly permissive with him, letting him leave school and lead an immoral life. When his grandmother died, Doña Eduviges paid a *coyote* to bring her son into the country. He was already fifteen years old, and it took him a long time and a lot of work to adapt to the supervision of a mother, to the presence of his American stepfather and to the culture of the new country. The young man ended up dropping out of school and locking himself up in the four walls of his room, studying the explosive pop songs of the sixties. Television and radio were his only connections to the outside world, apart from his casual, violent run-ins with his mother, who he considered a vulgar and miserable woman, unworthy of his love and respect.

Medardo took a refreshing shower, went to his room and picked out his clothes for work the next day. He made the sign of the cross before the image of the Virgen de Guadalupe, kissed the Saint Christopher scapular and bowed respectfully before the Quetzal-cóatl statue that watched over him with its ancient jade stare. He took off everything but his underwear, turned off the light, jumped into bed and thought about the gratifying news from his wife. His children were growing up with the support they needed, and they were attending school. His wife was happy. *Wonderful.* The house was turning out really beautifully with its new concrete walls, its iron fence and its garden. *Excellent . . .* His thoughts were suddenly interrupted by the barely audible sound of the door to his room opening. In the half-light, Medardo could make out a shape moving forward in silence; he recognized Doña Eduviges sitting down on the mattress. She took off her housecoat and slid into bed next to him to have another unbridled orgy with more passion and fury than the night before.

Once Doña Eduviges had her first orgasm and was taking a break, they heard someone shouting in the hallway, "My mother's a whore! My mother's a whore!" Then they heard a booming laugh, followed by a song that invaded the house with its rhythm and singing, passing through the walls. Doña Eduviges put on her housecoat and left Medardo's room. From his bed, Medardo listened to the heated battle of insults, mother and son vying for the most obscene and hurtful thing to say. Moments later, everything grew quiet, and Medardo fell asleep.

At four on the dot the next morning, he got up, took a quick shower, got dressed, said his morning prayers to his favorite divinities, put them into his inseparable backpack and left.

Harvesting vegetables means intense labor, usually for periods of ten hours straight. On those work days, the laborers leave their boarding houses early in the morning and head out to the place where the foremen pick them up and take them out to the farms in rattling buses and trucks. Sometimes without eating breakfast, they set out to pick tomatoes in buckets that end up weighing more than thirty pounds, for which they receive approximately forty-five cents each. Medardo was an experienced worker, and on a good day, he could fill up to 120 buckets, earning $155 a day, $280 per week, which was a considerable wage when one took into consideration that in his native village, he received fifty times less for the same amount of work. When work decreased and it became impossible to find a decent job in his country, he had decided to cross the border without papers and look for dollars in the huge country in the North. Medardo's circumstances were identical to millions of workers whose misery, necessity and desperation drives them to foreign lands, because in their own countries, they don't have the slightest opportunity to survive.

Finally, he wrapped up his long workday, and Medardo went to take the bus back to the center of Immokalee with a group of laborers. He went to eat dinner in the town and then headed straight to his little room. There was no time for anything else since it was already about to get dark and he felt exhausted, eager to take a bath and get into bed to rest. He knocked on the door of the house, as was beginning to be a routine for him. He waited for Doña Eduviges to open the door in her flowered housecoat, her owl eyes staring at him as he walked in. But this time, it didn't happen like that; that is, the door opened, but a tall, white man asked him to come in. He immediately handed him his badge from the Department of Immigration and, in perfect Spanish, asked him for his papers. When it was clear Medardo didn't have any, that he was undocumented, the Migra agent handcuffed him and led him into the living room. There were five young men there, duly handcuffed and guarded by another agent. Just like Medardo, their faces were filled with disappointment and despair. The officers left with their prisoners and put them into a bus. Loud music came out of the house, mixed with the voices of Doña Eduviges and her son yelling.

"Why did you call the Migra?"

"So they would take away your lovers! Those stinking illegals."

"You're an idiot!"

"And you? You're the biggest whore in the world!"

The vehicle from the Department of Immigration started up. The arrested men would be processed that same night, and without a doubt, deported on the following day.

Handcuffed with the other poor guys, Medardo understood right then that everything about him had changed, and that he would be forced to go back to a land that was his but which would never be the same as before for him. The whole time he was living outside his country, he was locked in a kind of capsule, surrounded by his gods and his other things, divided by nostalgia and reality in that particular world. He thought his gods had been weak when faced with the plans of Doña Eduviges and the vengeance of her enraged son. Life and love were strange like that for the immigrants in those rural areas of the United States.

When he got back to his country after being deported, everyone would look at him as a failure. They'd see him as worthless, someone who couldn't provide for the needs of his loved ones or the progress of his homeland. They would make him feel so small and insignificant that he would be forced to leave again, to climb the wall, to cross the border, the river, the desert to reach el Norte and send dollars home. Then he would be a great hero again. Yes, definitely, he was no longer the same. He had tasted sacrifice and the glory of money; even if he was risking his life, he had no other choice but to set out once again.

# The *Nagual*

IXQUIC'S DREAM was to leave her little mountain town. In that ancient land, there were people and beliefs still wandering around as spirits, left over from the time when her race ruled the land long before. She wanted to leave all of that behind and emigrate, get to know new people, lands and customs. She was young and beautiful, intelligent and daring. Her grandfather, Tucur, now in his nineties, descended from an ancient line of shamans. He had read in Ixquic's eyes that she was destined for great things in faraway places that looked nothing like the town where she was born.

Many people in the area had tried to cross that border, but it was rigorously patrolled along almost its entire length, and they would return to the town, disappointed and beaten, without having realized their ambitions. Nevertheless, Ixquic thought her destiny was to cross it, and although it was not an easy task, she had to figure out how—to come up with a way—since her dreams would come true on the other side of the world as prophesied by her grandfather.

The oral tradition of her land spoke about the phenomenon of the nagual: by force of will, her ancestors would transform themselves into people, things or animals. The young Ixquic thought that perhaps the answer was there, in the nagual. She would turn herself into something else in order to cross the border without being detected and then be able to discover the fabulous land of her fantasies.

Ixquic had distanced herself from those primeval myths, par- tially in opposition to her parents, who wanted her to submit to cus- toms she thought were antiquated. She also moved away from those myths as a way of rebelling against everything the past represented. She thought of the past as something obsolete, something that in modern times was of no benefit at all.

She consulted with her grandfather on the nagual idea, and the old man looked at her with complete shock, like he had suddenly re- membered something that had taken him back to time immemorial.

"The first thing is to figure out which one is yours," Tucur ex- plained after regaining his composure. "We all have one, but in order to invoke it, one has to know which one or what it is and, above all, have absolute faith in it. If not, the transformation won't occur."

"What is the nagual?" the girl wanted to find out.

"Our ancestors believed each of us is made up of opposing forces, the tonal and the nagual, the two sides of the duality which creates everything in the universe. They call it Ometeotl, and the universe is called Omeyocán, the place of the duality."

"It sounds pretty complicated," the girl said.

The grandfather explained. "The nagual allows us to enter and to leave the two sides of our duality. It's an ability that belongs to each one of us, simply because we are born and die, which is the fundamental dual experience of everyone."

The flower of Ixquic's youth made her look impatient when faced with those concepts that seemed boring and strange to her, above all because she wasn't willing to pause and meditate on them, to try to understand them. "How is the nagual born in a person?" she asked.

"Your nagual is assigned by the gods at birth and, just like the name parents give their newborn, it marks the person for their en- tire life. It's their other identity, their parallel being."

"What is your nagual, abuelo?"

"The messenger owl," Tucur answered, and as soon as he said it, he turned into that bird. Ixcuic was so frightened she ran away as fast as she could.

The bird flew up and left the ranch, crisscrossed the skies for a while and then returned to its spot. The girl hadn't quite recovered from the terrible fright, but she went back to her grandfather's shack. He had already returned to his original form and was sitting on his stool, smoking a cigar; the thick smoke emitted a smell so strong and bitter that it drove away bad spirits. Ixquic sat down in front of him and calmed down.

"My name . . . what does it mean?"

"It's very special. It has an important place in our ancestors' traditions."

"It's an Indian name. I don't like it," she said disdainfully. "Why didn't you give me a normal name like María, Rosa or Isabel? Everyone asks me what it means and I have to tell them I don't know and I don't care."

"You're a rebellious, arrogant little girl," her grandfather said. "You always have been, ever since you were born."

Ixquic walked out, obviously frustrated by the reality of her life, which she viewed as an obstacle to getting what she wanted most: to leave that isolated and backwards town. One time when she went with her family to visit a relative living in the city, she saw on the television that the world was progressing by leaps and bounds; despite that, she hadn't even seen a car drive by on the only road in her remote little village.

The next day, Ixquic went to tell her grandfather about her decision to leave the town with some other townspeople who had planned a trip. The old man told her she was about to do something very natural, something her ancestors had also done. To emigrate to a different land in search of a better life was what the Quiché people had done centuries before when they left the legendary Tulán and came to populate the lands in the south. She was going back where they had come from—to the new Tulán.

"Before I leave, I'd like you to tell me the story of Ixquic," she said, driven more than anything else by her insatiable curiosity.

The old man told her the story from the *Popol Vuh* about when the ferocious men of Xibalbá, the Mayan underworld ruled by Deah Gods, killed Hun-Hunahpú and Vucub-Hunahpú. ". . . before burying them, they cut off Hun-Hunahpú's head and hung it from a tree that had never born fruit, but it was suddenly covered with new fruits. This surprised the people living in the area, and they all came to see it and marveled at the sight. The head of Hun-Unahpú had turned red and could easily be mistaken for fruit. The men of Xibalbá prohibited the people from getting close to the tree. One day, a young maiden named Ixquic, daughter of a powerful member of the community, heard her father talking about the amazing tree and, overcome with curiosity, she went to see it by herself. Once she was in front of it, the maiden asked herself what those exotic fruits tasted like. The head of Hun-Hunahpú asked the girl to come closer and touch the fruit. She did just that, and the head spit on her hand. When she looked at her hand, the spit had been absorbed into her skin. The head of Hun-Hunahpú told her he had deposited the seed of his descendants inside her, that she must leave Xibalbá and emigrate to the face of the earth. This wasn't easy for her, because when her father saw she was pregnant out of wedlock, he labeled her a prostitute and brought her before the men of Xibalbá. They ruled that she should be sacrificed, her heart removed and taken to them for incineration. On her way to the place of immolation, Ixquic used her beauty, intelligence and daring nature to convince her executioners to free her and take a squash full of the sap of the Tree of Blood instead of her heart. The men of Xibalbá were satisfied by burning the squash full of that red liquid, and the wise young maiden Ixquic was free to cross the border, to go to the surface of the earth and give birth to the descendants of Hun-Hunahpú: Hunahpú and Ixbalanqué, the legendary twin heroes who would later return to Xibalbá to avenge their father's death."

To end his story, the old man emphasized, "That is how it is written in the Sacred Book. That is how Hunahpú and Ixbalanqué were born. That was who bore them, a beautiful, intelligent princess of Xibalbá named Ixquic."

The girl said goodbye to her grandfather and took the road out to the outskirts of the village, along with women, men and children who were headed out over mountains, across rivers and cities with their few possessions on their backs and their hearts full of hopes and dreams.

Their voyage was long and rough. Many gave up, stayed behind, lost their lives or returned to their village. Only a quarter of those in Ixquic's group made it to the border in the end.

The final obstacle was there in front of them, an imposing iron fence, surrounded by prickly nopal cactuses, watched over by the Border Patrol and zealous private sentries determined not to allow entry to the masses of illegals camping on the other side, waiting for a favorable moment to cross over. Days and nights passed just like that . . . waiting, but the greatest hindrance was always there, immovable and insurmountable.

One morning, the nopales, the magueys and the cactuses were covered with fruit; their lively colors brightened the arid and bleak landscape of the border. It was the season when the birds migrated from the hot lands of the south to the cool refuge of rivers and lakes in the north, driven on by the natural cycle of reproduction and survival of the species. As they flew by, they would stop and perch on the nopales and tear off small fruits that would supply them with sustenance for their trip. There were so many birds that afternoon that the fruit disappeared.

Ixquic, transformed into her nagual, the flower of the nopal cactus, flew through the air dangling from the beak of a bird, Tucur, who crossed the border in the blue sky, headed to the place where she would regain her original form and begin the new life of her dreams.

Before heading off on his return trip, Tucur had said to Ixquic, "*Niña*, remember . . . it doesn't matter where you go, where you are or what you make of your life. Deep down in the center of your being, you will always be the same, because the gods marked you forever, both in your normal form and in your nagual."

# Odyssey

They came from faraway places
from the south, east and west,
from mountains, villages and cities
leaving behind their beloved lands,
love, friends, grandparents.

They came with dreams on their backs,
hand in hand with women and children
guided by the howling wind,
the desert's burning sand,
the roar of the sea.

They fled war and hunger
oppression and misery
isolation and grief
looking for the golden land
and a time for peace.

Many made it to strange cities
achieved their hopes
began new lives
grew and prospered
discovered lost dreams.

Others continued on their quest
beyond the horizon.

# Dragon Boy

*To Jon Cortina,*
*In Memoriam*

## • 1 •

ADRIÁN, a street kid nicknamed "Dragon Boy," was spitting flames out of his mouth at an intersection on the Avenida Principal when he was run over by a car that fled from the scene.

The boy was left splayed out in the roadway. His sunburned face, caked with dirt and cheap paint, had an expression of terror on it. Smoke still trickled from his open mouth. His morbid face was facing the sky. The squalid corpse lay clothed in rags, the remains of a discolored T-shirt and a pair of shorts. His bare feet, black and calloused, were flattened and deformed.

The barely thirteen years of Adrián's life had come to an abrupt end that fatal day around noon on the cracked asphalt of that busy street. His friends gathered around his body like trapeze daredevils from a macabre kids' circus, unable to accept the loss of their greatest star.

For a moment, there was a certain funereal silence, and several cars stopped. The drivers looked at the confused troop of young traveling actors and yawned as they waited for them to climb one on top of the other to build their usual human pyramid. From the top, a kid would spit out huge flames from his mouth, and then they'd quickly break the pyramid down and run between the cars and buses to ask for money as payment for their street show before the stoplight turned green.

Some passersby noticed the dead body and kept on walking through the noisy hustle and bustle of the city.

A police car showed up, followed by an ambulance and without any further investigation, they picked up the remains like they were dealing with a dog and wanted to get rid of the stinking trash in a hurry.

"Where are they taking him?" asked a woman dressed in black.

"I guess to the morgue," someone said.

"They'll throw him in a ditch."

"What does it matter? No one's going to bother claiming the body."

"Maybe he was a thief. There are so many nowadays."

"Probably a drug addict—a lot of those too."

"A glue sniffer."

"A child prostitute."

"He was a poor devil, for sure."

"That's why nobody cares."

"The law doesn't protect bums."

"The law is for people with money who know how to manipulate it."

"It protects animals, but not street kids."

"If he were a dog, I bet the Animal Protection Society would already be here, demanding an immediate explanation."

• 2 •

The Dragon Boy had been run over in a matter of seconds. Getting to that age hadn't been easy for him either, since he had to survive neglect and poverty—all to reach his end in such a violent way in that strange city. As he laid dying inside the ambulance, blurry images of his past flashed in his memory.

He was born in a small, remote village in the mountains of El Salvador. His father worked from sunup to sundown plowing a barren, volcanic patch of earth. The first years of his life were spent in a shack made of straw and adobe, receiving occasional affection from his mother, living with his siblings and cousins. He was always naked, and his stomach bulged out. The calm of the place was often interrupted by the violence of the civil war that plagued the country at the time.

In search of a better future, some residents of the hamlet—his father among them—swelled the ranks of the insurgents. The guerrillas offered the people hope for social change if they would fight to overthrow the regime in power. In retaliation, the government troops invaded the village one morning and burned it to the ground, killing the inhabitants. Several children survived, among them Adrián, his brother and his sister. They were all taken to the soldiers' barracks.

His little brother was adopted by a soldier. His sister went to an orphanage and some time later was adopted by a family from abroad.

Adrián was ten years old at the time. His fate was less fortunate. He was handed over to the owner of several nightclubs catering to sexual tourists. Adrián grew up surrounded by prostitutes. Paradoxically, that first year as an orphan was perhaps the happiest of his life. The girls lavished him with love and care; they spoiled him like he was the son they could never have. These young and middle-aged women had themselves suffered kidnappings, captivity, violence and sexual abuse, and in some ways, they attempted to protect the boy so he wouldn't suffer the same fate.

A year went by like that. Adrián was raised in an environment of sexual exploitation and prostitution. One day, his adoptive mother, the young administrator of the brothel, called him into her room. "Son, I know you have gotten used to living here with us in this horrible way of life."

The boy watched her with interest. She fell apart, crying loudly, and told him he should get away from that place.

"Why, mamá?"

"I am not your mother. I don't deserve that. I am a woman who sells herself to men."

The boy answered that he thought of her as his mother. The woman insisted he should run away. He didn't understand why she was saying all that. He had grown used to her affection, which was the closest thing to maternal love he knew.

The woman was forced to explain the truth to the boy, who despite being young was not so innocent, so that he would understand how complicated life really was. She explained they had taken him in so he could recover from the loss of his family, and above all, so he could gain some weight since he was emaciated when they found him. Very soon, he would head to another place where they would force him to sleep with men, and they'd abuse him sexually for money.

"They only do that with women," he argued.

"With young boys too," she refuted. "It hurts my heart just to think about them abusing you. I suffered the same when I was young. Escaping is your only option. Get far away from here as soon as you can."

"When?"

"Tonight or tomorrow at the latest."

The woman hugged him gently with tears in her eyes and handed him a few bills. The woman cried quietly. "I know you have suffered a lot," she said. "My life hasn't been easy either. When I had my first and only child, I left him with my mother. They killed her when they invaded the village, and I never found my son—not dead or alive. I think they stole him . . . Afterwards, a man tricked me. He was the same one who brought you here. I came to this place supposedly to do honest work, but they forced me into prostitution. At this point, the son I lost would be about your age. That's why I care for you so much, and I understand your suffering."

The woman's words reminded Adrián of the tragic story of how he lost his family. As he sobbed, he told his adoptive mother what happened. "We were with my mom in the house. We heard gunshots, and she told us to go and hide in the garden in the yard. From there, I saw when the soldiers went into the house and shot my mom. Then they set fire to everything . . . the whole village was in flames. Then I left running away with my brother and my sister —running, tripping on dead bodies. We crossed the river and there were a lot of dead bodies there too. Some soldiers caught us and put us into a helicopter. There was a lot of crying, kids wailing and calling out for their dads and moms. From the helicopter, we could see the fires, a lot of smoke and people running around everywhere . . ."

The woman was listening as she moaned. She imagined her own son had met the same fate.

"They let us out in a barracks yard. I never found my father. My mother was shot dead and burned up with the house. They separated me from my brother and sister. They took me to a place where there were a lot of kids. Strange people would come and take the one they liked the most. They put me in a car and brought me to this house . . ."

Adrián started to cry. At eleven years old, he couldn't understand why life was so hard and strange—a chain of sad, violent incidents. His second mother was abandoning him now too.

"I'm sorry," the woman said, "but it wouldn't be good for you to stay here."

"Tomorrow . . ." he told her, and he hugged her and wailed.

"Okay. A friend will come pick you up tomorrow."

"Who is it?"

"A man who'll help you to find a better life in a place far from here."

• 3 •

The woman's friend ended up being a man who smuggled undocumented people into the United States, whose network was discovered in Guatemala. The smuggler had told Adrián what he should do in case he was found, and that's how the boy was able to escape with others to continue on their way to the North.

At times walking and at others aboard cargo trucks, he made it to a city where he learned to beg for money, food and whatever people wanted to give him.

In the street, he met thieves, beggars and street kids like him. He got used to that difficult life and lost any fear of danger, bad people, authority and even death itself.

He learned to steal when begging got him nowhere. He became friends with darkness and slept in any deserted corner.

He made friends with a group of kids who spent their time asking for money at street corners after doing an act called "The Tower of the Dragon," in which on of them would get on top of the others' shoulders, put a little gasoline in his mouth, grab a lit torch and spit the gas on it to make huge flames, which gave the impression that the kid was spitting fire out of his mouth.

It was a dangerous act that had to be executed very carefully in a matter of seconds; otherwise, he risked being poisoned by the gasoline or burning his face. Adrián learned it quickly and became a skillful Dragon Boy. That's how he survived for a while.

• 4 •

The soldier who adopted Adrián's younger brother handed him to his mother with these words: "If I die in the war, this boy will keep you company." The woman received him with love and raised him like her own blood. When what the soldier said about his fate came true and he became one of the 75,000 victims of the civil war, she loved the boy even more, since she thought the smiling, smart, well-behaved boy really was the reincarnation of her son.

The boy returned his new mother's affection with love, and both found happiness at that time of tragedy.

• 5 •

Adrián's death looked like a traffic accident, but it was actually a premeditated homicide.

The week before, Adrián had caught the eye of a man who paid street kids for sex, and he invited him to his house. The boy was terrified of the man and rejected him. Then he looked for support from his friends, but they didn't back him up, because they thought Adrián should've accepted the offer.

"It's not so hard," a boy had said. "I went to his house, and he treated me well. He had me take a bath and change my clothes. He gave me good food and gave me some money."

Another kid dared to contradict the group, "I wouldn't do it. That guy's sick. You've got to be careful with him."

All that stuff made Adrián totally disgusted. He was determined not to let that guy touch him. He remembered what his second mother had told him when she insisted he leave the brothel before someone took advantage of him.

The man tried to convince Adrián several times without any success. He took the rejection as an affront, and in revenge, he decided to do what he always did with those who refused his advances: kill him. It wasn't the first time he had done something so extreme. The deaths of five boys in the city in purported accidents in the last few months were all his fault. The police hadn't even started a formal inquiry in the case, much less searched for a killer, because investigating the deaths of street kids wasn't a priority, above all because no one interceded on their behalf.

Those street kids were considered undesirables at best, and their presence offended society. For that reason, that man thought his criminal acts were actually praiseworthy and not reproachable, since, according to him, his mission was to rid the world of despicable creatures like those young kids who swarmed the streets like wild animals.

That was how he decided to wait patiently at the intersection of the Avenida Principal around noon that day.

The kids made the pyramid, and Adrián the Dragon Boy climbed up to the top and spit huge flames out of his mouth like he always did. Immediately, they broke the structure apart and headed out between the cars to ask for money.

For the few seconds while Adrián was in the intersection, before he went to beg for coins, a car with blackened windows and without license plates accelerated and slammed into him violently. It plowed him down and left him splayed out in the street unconscious.

• 6 •

Adrián's sister was taken in by a married foreign couple that had done the same with an orphan from the civil war in Guatemala and another from Nicaragua. Moved by a profound sense of civic and moral responsibility, the children's adoption was a result of their decision to make amends to the dispossessed. They were determined to raise those kids the best their circumstances allowed and in this way to contribute to world peace.

When Adrián's sister arrived to her adoptive country, she had a lot of problems getting used to the new climate, the food and the people. In school, the other students looked at her with curiosity and asked where she came from. She had disturbing dreams, recurring nightmares. She dreamed she was burning to death in the ranch on fire, along with her mother, while her brothers struggled unsuccessfully to rescue her. Under the watchful eye of a psychiatrist, in time she was able to sleep peacefully.

Luckily, Adrián's sister, the Guatemalan boy and the Nicaraguan found respectable parents who were full of understanding and above all, patience and love, which helped the kids to resolve their problems and lessen the stress of growing up in a foreign country.

• 7 •

When the ambulance pulled off with the victim and the traffic resumed its normal hubbub, one boy said to another, "Now we don't have a dragon."

"I can't breathe fire from my mouth."

"We'll die of hunger."

One kid younger than them stepped up. "I can."

"Okay," said the older one. "Let's do it now. There's a lot of cars."

In the middle of the deafening commotion of all the people and the cars, they waited for the light to turn red. With an agility born of experience, they formed the human pyramid and the new Dragon Boy exhaled huge flames from his mouth, and then they took apart their structure to run out among the cars to beg for money. They collected some coins. This gave them a certain hope of surviving, and for a moment they forgot their friend who had just passed away.

## Sources of Information and Statistics (2000)

Organización Pro-Búsqueda (Search Organization. El Salvador): Children disappeared during the Salvadoran civil war.
1. Total: 530: 261 girls, 269 boys. (The majority in Chalatenango: 116)
2. Ages: From one to thirteen years old. (The majority from one to three: 123)
3. Period: Between 1978 and 1991 (The majority in 1982: 145)
4. Young people who were found: 98. By country: El Salvador, 46; Honduras, 7; United States, 14; France, 11; Italy, 14; Switzerland, 3; Belgium, 2; Netherlands, 1.
5. Young people who were never found: 428.

Organización Casa Alianza (Covenant House Latin America): Street children in Central America.
1. Period: Between October 1998 and April 18, 2000.
2. Causes of death: Bullets, assassins, glue or AIDS.
3. Total: 162. By country: Guatemala, 63; Mexico, 56; Honduras 35. Nicaragua 7. Costa Rica, 1.
4. Criminal cases against child abuse initiated by Covenant House in Central America: 550.

# The Watchman

IT WAS a lonely and tedious job, but, after all, it was a job. All things considered, it was possibly the best work he had done in his life, if he kept in mind that his former jobs—day laborer, coffee harvester, highway construction worker—demanded excessive physical effort. He would sweat all day long under the burning sun, he ate badly and the pay was awful. On top of it all, he had to add the lousy treatment at the hands of his bosses.

His current job, on the other hand, didn't require any great physical or intellectual effort; it was better paid, safe and free of all danger. All he had to do was take care of a new house with no one living in it and prevent thieves from getting in. Simple . . . nothing more than that.

It was a modern kind of job, a product of the last few years in which thousands of his countrymen left for the United States, some of them driven out by the civil war, others by the pressing economic situation. In El Norte, through hard work, some people had been able to save dollars to buy new houses. Many of them were being built at the time all around the country for the so-called "*hermanos lejanos*" or "distant brothers and sisters" to buy—the people who some day would come back to enjoy peace and comfort in a spacious, modern house, in the delectable tropical climate of their homeland.

His mission was to watch over the house for a couple that lived in Los Angeles, California. He received a phone call each month, usually on Sunday afternoon, since on that day—as the owners told him—long distance calls were cheaper.

"How is the house?"

He made an effort to show enthusiasm, and with a certain faked excitement, trying not to yawn, he would answer, "The house is well taken care of, as always. No problems."

He could guess what the next question was going to be. Sometimes the woman would ask it and sometimes the man. But, invariably, it was the same. "No robbers have gotten in?"

"No, señor."

The third question was just as predictable.

"Nothing has been damaged?"

"No, señora."

And it went on just like that.

"No leaks?"

"No, señor. Everything is in perfect shape."

Once the owners were satisfied, before hanging up, he would gather up the courage and point out, "I just wanted to mention I haven't received my pay for last month."

There would be silence for a few seconds, then the woman would continue. "We'll send it to our agent soon. He'll stop by to drop it off."

"I hope so, because I need the money to feed my kids."

He was responsible for three kids and his wife, and he thought mentioning their needs would soften the owners' hearts, especially the woman's. The man was more difficult to affect emotionally because he took an obviously arrogant attitude with the watchman. He couldn't even hide it on the phone.

"Don't worry. Tomorrow at the latest, you'll have the money in your hands," said the woman.

"Very well. Gracias."

"Please don't forget to water the plants and cut the grass."

"Yes, señora."

"Take care of the house for us. Don't let anyone in."

"No, señor."

"We'll be there in December."

"Very well. I'll see you then."

"If there is any emergency, call our agent or the police if he doesn't answer."

"Yes, señora."

"Adiós."

"Adiós."

It was the same monthly call with the same questions and answers. The owners were only concerned that their house, their investment, their future was well taken care of. They never asked about his health or his family or about his lonely life inside those white walls.

But still, the important thing was that he had work, however boring it was, and that made him feel lucky since the number of unemployed people in his country was enormous and growing. This had unleashed a huge wave of criminal activity by people made desperate by the critical post-war economic situation, which, paradoxically, had also created that very unique job of watchman in empty houses owned by absent landlords.

• 2 •

The owners would come twice a year and stay in the house for two weeks. They brought their kitchen appliances and utensils with them; they unpacked them all and used them during their stay, and then packed them back up when they left. Little by little, they filled the house with furniture and decorated it with paintings, traditional decorations, lamps, fans and colorful curtains.

With each visit, their house took on more of a homey feeling. The owners were pleased and could feel how close their definitive return to their native country really was.

When they left, the watchman went back to his life of boredom. His days passed, locked up in that spacious, silent house. His only concern was making sure everything was in its place and that the sounds—sometimes strange ones from outside the house—didn't represent any danger.

When someone knocked on the door, he looked through a little hole, and if it wasn't anyone he recognized like the owners or their agent, he was not authorized to open the door. He was just supposed to say, "The boss is out. Come back tomorrow."

The agent came once a month to inspect the house, hand the watchman his monthly pay and leave a little while later.

His wife visited him on the weekends. She worked as a servant in an elegant mansion in the city and was allowed to leave on Sundays. She brought him home-cooked, hot food. They had a good time every Sunday. They took a shower in the spacious bathroom in the master bedroom, put on the owners' clothes, ate at the fancy glass table, made love in the owners' enormous, firm bed and walked around half-dressed at their ease in the huge house. They unpacked the color television, set it up in the living room and happily watched the all-star movies they showed on Sundays.

"The rich sure do have a nice life," the watchman said to his wife during the commercials. "I wish I could live like this forever."

"Ay, Dios," she said. "With the awful pay we get, we'll never be able to. We hardly have enough to get by."

"One day, maybe we'll get lucky and win the lottery."

"Like the old saying goes, if gambling is your only option, you're bound to lose."

"But then again, if you don't take any risks, you'll never win."

"And the owners?" his wife asked. "They haven't called you?"

"Of course they have. They call the last Sunday of the month."

"Any news?"

"No. It's always the same. Take good care of the house. They're coming in December."

"Did you tell them about the robbery at the house next door?"

"No."

"Why not?"

"I don't want to worry them."

"You should have told them. Then, they'd understand this job isn't as easy as so many people think."

"It's not so hard."

"But it could be dangerous. What happens if some robbers come in and kill you?"

"This house is safe. All the entrances are totally sealed shut. There's no way to get in."

"It wouldn't be hard for robbers to get in. My boss' neighbor's house is secure, but they robbed it in broad daylight. They surprised him when he opened the door to go out to work. They forced him and his kids at gunpoint to load their TV and a lot of other stuff into the truck. They stole watches, jewelry and money."

"The neighbors didn't see anything?"

"My boss saw the neighbor and his kids loading a truck and didn't suspect anything. She even said 'hi' to them. When the robbers left, the neighbor came and told us everything. My boss couldn't believe it."

"That's rough."

• 3 •

"Hi. How's the house?"

"The house is well taken care of, same as always. No problems."

"No robbers have gotten in?"

"No, señor."

"Nothing has been damaged?"

"No, señora."

"No leaks?"

"No, señor. Everything is in perfect shape."

Moved by the monotony and the predictability of the call, this time the watchman decided to add a few out-of-the-ordinary comments just to make the moment a little more interesting.

"I just wanted to mention, some robbers broke into the house of the lady next door."

The owners, who always used two phones to listen and add their own comments during the call, were taken off guard by the news, and the man was the first to express his surprise. "I can't believe it!"

Then the woman asked anxiously, "And how did you find out about it?"

At this point, the watchman's excitement was real, and he enthusiastically recounted the details of the case. "Well, first I heard the woman shouting like crazy, right? I put my ear up to her wall to try to hear better . . ."

"And what did you hear?" the man asked, afraid the watchman's lead-up to the story was going to last too long.

"I heard the voices of a couple of guys telling the woman to lay down on the floor with her head down."

"And then?"

"Then I didn't hear anything."

"You didn't call our agent on the phone?"

"Yeah, I called him, and he told me he was going to call the police and that I should make sure the door to the house was shut tight."

"Good advice," the owner said.

"And you didn't hear anything else in the neighbor's house?" the woman wanted to know.

"Nothing. Through the window, I saw three men getting into a truck loaded with boxes and appliances."

"Did the police come?"

"Yeah, but a long time after the robbers left. Your agent also came and went to talk to the lady next door."

"And what did she say?"

"That they didn't do anything to her, but they stole all her money and jewelry she had in a box, and they also took all the appliances. She said the robbery was quick and that they already knew where everything was. She thinks it was their maid who probably gave the robbers information about the money and the jewelry and told them what time was the best for the robbery."

"Who knows how much they took."

"According to your agent, the lady had $20,000 in cash her kids in Houston had sent her, and the robbers took it all."

"What, $20,000!" The woman was shocked. "Poor people. So much work to make it here in the United States and to save some money, just for them to come and steal it. It's not fair Dios mío."

"No," added the watchman, "it's not fair. The lady said it took ten years of work for her children to save that money."

In reality, he had no idea how much money $20,000 was, since the little he had earned in his life had vanished from his hands like magic without him even being able to save a little bit. His survival and that of his family ate up all the money and he always needed more to pay for necessities like clothes and shoes. Once, he thought he would save to buy a little house so his wife and kids could live like human beings and not like animals in a shack made of tin and cardboard, but that was just a dream left for the day he won the lottery. If it weren't for his elderly mother taking care of his kids in her remote village, he and his family would be stuck on the streets without work or a place to stay.

"That's why you need to watch over the house and make sure no one gets in."

"Yes, señor."

"Please don't forget to water the plants and cut the grass."

"No, señora."

"We'll be there in December."

"Very well. I'll see you then."

"If there is any emergency, call our agent or the police if he doesn't answer."

"Yes, señora."

"Adiós."

"Adiós."

• 4 •

Another Sunday came and the watchman waited for his wife. He felt hungry and was waiting for news about his kids and his mother. His wife was his connection to the outside world, from which he had lately cut off because of his job. His children—three, five and seven years old—were his biggest concern, and he hadn't seen them for several months. Maybe in December, when the owners came back from the United States, he would be able to visit his town, spend Christmas with them and buy them some presents to make them happy for a few days.

He heard the doorbell and, delighted, headed to the front door. After looking through the little hole and seeing it was his wife, he opened the door.

His wife came in so quickly that she slammed into him, knocked him over onto the floor and fell on top of him with a helpless scream. Immediately, three men came in with pistols in their hands and shut the door. One of them yelled, "Make a move and you both die!"

"The key to the garage, quick!" ordered a man.

The watchman took out the keys from one of his pockets.

"Open it, man. Hurry up," they ordered him

A truck pulled in, and the men started to load everything they could find. They pulled the fans off the ceilings. They made the watchman and his wife help with the boxes, with the television and with other new appliances while the others loaded the fancy furniture. They completely emptied the house. They searched the watchman and his wife and took what little money they had on them. Then they ordered them to lay face down on the floor and not to move. They got into the truck and left. The robbery was done quickly and with skill.

The woman was the first one to get up and close the door to the garage. The watchman made two phone calls: one to the owners' agent and another to the police. The authorities got there first, then their agent, then the lady next door whose house had been looted a few weeks before.

The police gathered information on the case, filled out all the necessary forms and left. The owners' agent and the neighbor left too. The watchman and his wife were alone again, terrified and not saying a word in that completely empty house.

The woman left early because that afternoon she had to serve dinner at a party in her boss' house.

The watchman went back to his normal routine, which had become more distressing than normal. A little while later, the sound of the phone broke the silence. Nervously, he went to answer. "Hello?"

"Hello. How's the house?"

# The Wall

The iron wall touches the sky and the earth
obstructs the moon and the sun
but doesn't stop the scorching rays
of misery.

Its long miles unite oceans
but separate mothers from children
brothers from brothers
humans from their ideals.

Patrolled and militarized
but day and night
outwitted by hunger.

Long, tall and wide
but its monstrosity
is unable to contain
the tsunami of pain
the hurricane of oppression
the earthquake of existence
the flood of hope.

# Sea Odyssey

*To Arturo Salcedo,*
*wave maker*
*on this sea of words.*

## • 1 •

ONE DAY IN SEPTEMBER, a group of 109 people set out from Port-au-Prince, Haiti, in a small, dented wooden boat headed for Florida. They were fleeing from the political persecution of the dictatorial regime in the country.

The clear air of the morning and the calmness of the sea augured well for the crew, headed by an old fisherman named Jean Claude. They hoped for a trip without any great surprises.

If everything went as usual, the old man figured that in less than three days, they would cross the approximate 800 miles between Port-au-Prince and Florida.

The fishermen cautioned the passengers to remain calm in the boat, control their children's movement and avoid touching the water with their hands so as not to attract the voracious sharks that would definitely be prowling around the boat soon.

Jean Claude baptized the boat with the name *Fleur de Mai,* in memory of the *Mayflower*, the ship that had brought the English pilgrims to North America in 1620, fleeing from religious persecution in their country. Three hundred seventy years later, terrified of persecution, many Haitians ventured out each day in dilapidated boats toward the Florida coast.

• 2 •

Unlike his brother Jean Claude, Phillippe Auguste felt an aversion to the sea. He had never even touched its waters. Nevertheless, just like his brother had become a capable sailor, he was a skilled ham radio operator. In a room of his house, he set up a studio with receivers. His favorite hobby was to project the antennas into the wide open space to search for news from the world.

The events of interest at the time were related to the rising exodus of his compatriots to the United States. The political and economic situations in his country were utterly desperate, and the slightest possibility of hope for a better life was a great incentive for thousands of Haitians who, like his brother Jean Claude, headed out to sea.

One night, Phillippe Auguste caught the following transmission from Radio International:

> The interception and rejection of ships loaded with Haitian refugees in search of political asylum has unleashed an intense wave of commentaries in the international press and heated debate in U.S. political circles, even in the actual Congress.
>
> Right there, in a hearing debating American policy toward the Haitian refugees, a Democratic congressman from New York reproached the Commissioner of the Immigration and National Service, "You don't think that if the people in these boats were coming from Ireland, we wouldn't put a different policy in place, despite the law? If the same situation were happening there with these ragged, sick people, do you doubt even for an instant that the United States would return them to Ireland?"
>
> The Commissioner answered, "Mr. Congressman, that question is offensive. We reject anyone who should be rejected according to the laws of the United States."
>
> But, in fact, the meaning of that law is also being argued in the courts. A debate rages between the American President committed to taking a tough stand against the immigrants and the advocates for the Haitian refugees who argue that their right to asylum is being sacrificed in favor of domestic politics . . . The indifference toward boats loaded with immigrants is noto-

rious, especially when those refugees come from Haiti. Many countries have adopted restrictive measures and even the use of force to prevent them from disembarking on their shores . . .

• 3 •

The old man Jean Claude knew sharks very well. On one of his many fishing trips on the high seas, he had run into a huge blue beast. It charged his boat and flipped it over. Seven fishermen fell into the water, and the shark chewed them up in a matter of minutes. Jean Claude was the only survivor, but not before losing one of his hands in the jaws of the beast.

The crew members listened intently to that story and the experienced sailor's directions. Meanwhile, the ship glided across the warm, clear blue waters of the Caribbean.

Exactly forty-five minutes after weighing anchor, the motor made a strange sound and stopped. Jean Claude and the others looked it over for half an hour, but were unable to repair it. Then the old man announced the bad news. "The motor is blown. It's useless." Then he added, "But don't worry. We'll be rescued soon by one of the many tourist boats traveling around the Caribbean."

The boat was set adrift on the sea, infested with sharks. The memory of that blue beast made Jean Claude intensely afraid, but considering his passengers' wellbeing, he tried his best to hide it.

• 4 •

Radio International:

The operation to intercept Haitian immigrants began in 1981, when the American President signed an accord with the Haitian dictator which authorized the Coast Guard to stop and inspect ships from "foreign countries with which we have agreements," and to "return them with their passengers to their country of origin when there is reason to believe they have violated the immigration laws of the United States . . . preventing any refugee from being returned without their consent."

For the tenth anniversary of the operation, just a day before the coup d'état in September of 1991 in Haiti, a total of 24,559 Haitians had been intercepted in international waters.

During the first month following the coup d'état, the flow of refugees stopped. The democratically elected and deposed president of Haiti would return from exile perhaps the following day, or so said the rumors circulating in Port-au-Prince and in the rest of the country, but the leader did not return. Rather, the Haitian army and the security forces intensely persecuted his followers. Amnesty International reported that "hundreds of people had been brutally executed or detained without motive and tortured. Many more have been brutally run over in the streets . . . The soldiers had systematically pursued the president's supporters . . . and the residents of the poor neighborhoods of Port-au-Prince . . . and in the rural areas where the majority supported him."

• 5 •

The *Fleur de Mai* was floating aimlessly. The clear blue sky filled with dark clouds, signs of a storm. Jean Claude decided to lower the sails so the boat would offer less resistance to the wind, which was suddenly starting to blow forcefully. *This smells like a hurricane*, he thought.

The old man had an excellent sense of smell on the sea. Suddenly, the peaceful waters began to roil; they threatened to flip the boat over. The crewmembers shouted out prayers. The children were crying. Jean Claude tried to console them. "Hold each others' hands so you don't fall in the water!" he shouted.

But the fragile ship was violently shaking. A woman flew up into the air, fell into the sea and disappeared in the roiling surf. Someone tried to jump in the water to go look for her. Jean Claude's shouts stopped him. "Don't go into the water! You'll die too!" The man hesitated for a few seconds, but then, driven on by desperation, he dove underwater. Neither he nor the woman made it back to the boat.

The storm wailed louder, and the wind blew with all the fury of a hurricane. The sun disappeared and everything—even the turbulent sea—was a dark gray color. The crewmen rolled around on the deck of the boat, which was now flooded by the enormous waves. Fifteen of them were drowned. Jean Claude tied himself to the bow of the boat. He shouted out his instructions. Few listened and no one obeyed. The hurricane sowed its reign of terror.

By the time the sea and sky had returned to normal, the number of passengers had gone down to ninety-two. They began to arrange their soggy belongings and to get the water out of the boat.

"Where are we?" someone asked fearfully.

"Who knows," said Jean Claude.

"God willing, we're close to the United States," a woman remarked.

The truth was, the overwhelming force of the hurricane had taken them in a direction completely opposite to the one they wanted, and the boat rocked, lost and at the mercy of the Atlantic. The sun went down, and they ate the little available food in darkness.

At noon the next day, a warship spotted them and provided food. The winds that normally pushed the sea currents toward the United States had calmed.

By the time a week had passed, an amphibious transport ship passed close by them and stocked them with fruit, canned foods, rice, drinking water and navigation maps.

They were probably found by close to eight boats from different countries each day, but none offered to rescue them. In their desperation to reach the boats they could see, men, women and children threw themselves into the water, only to end up drowning or devoured by the ferocious sharks. Fifty-eight people perished in their attempts.

• 6 •

Radio International:

In October, the Interamerican Commission for Human Rights of the Organization of American States (OAS) urged the United States to, for humanitarian reasons, "suspend its policy of intercepting Haitians in pursuit of asylum." They should not be sent back, insisted the OAS, "until the political situation in their country has normalized, because their lives are in danger."

The United States withdrew its ambassador in Haiti and prohibited its citizens from traveling to the country.

By November, thousands of Haitians were fleeing in boats. Finally, the American government seemed to be reluctant to return the refugees; however, they did not propose bringing them to shore in the middle of a presidential campaign. Rather, they kept them on the Coast Guard ships despite the extremely high numbers of people.

Days later, the Coast Guard dropped anchor at the Guatanamo base in Cuba, where tents were improvised for the refugees . . .

• 7 •

By the end of October, the number of people on the *Fleur de Mai* was down to twenty-nine. Venezuelan fishermen finally rescued them.

This is the incredible conclusion to the thirty-six-day long Haitian odyssey in the Atlantic Ocean. In order to survive, they ate five of their compatriots.

The following account appeared in a Caracas newspaper:

> In the midst of our desperation and hunger, we concluded that in order to survive it would be necessary to eat our fellow passengers . . . We believe in God, and we are not cannibals, but the desperate need to make it out alive makes one do horrible things . . . All of us decided the order in which each one of us would die in order to satisfy the hunger of the rest. We were all completely in agreement . . .
>
> The first person was already too weak due to dehydration. "Wait until tomorrow," he pleaded with us. "By then, I'll have died of hunger, and you won't have to kill me." But we were extremely desperate, and we didn't listen to him. We grabbed him by the feet and dunked him headfirst in the water until he drowned. I remember his name was Pierre Paul. He must have been about thirty years old . . . He came with his family, but all of them, except for him, drowned in the sea when the unexpected hurricane struck . . .
>
> We did the same thing to a young twenty-year-old-girl. We dismembered her body, like the others, we boiled it and we ate

it. Two boys, one twelve and the other fifteen, died of hunger before we ate them. But the eleven-year-old put up a fight, so we were forced to drown him in the sea.

As they had wanted, the survivors were placed on a passenger boat headed for the United States, where they applied for political asylum.

Initially, they were moved to Guantanamo. Some time later, based on their testimony about political persecution and the tragedy suffered in their voyage to the United States, that group of survivors was part of the small number of Haitian refugees who were granted the much-sought-after political asylum.

Jean Claude and his wife, a strong, beautiful Haitian woman he met in Florida, set up their home in a small house in Key Largo. Through great economic sacrifice, Jean Claude bought a boat and fished the better of the day, just as he liked to do.

Despite his relative good fortune and tranquility, Jean Claude never forgot his land or his brother. In time, he was able to save up some money and send Phillippe Auguste a radio receiver of the latest design so that he could also move ahead with his own fishing—in space.

"With everything that has happened, the last place you should be is at sea," his wife said once.

"The sea is a magical thing," had said the one-handed Jean Claude. "From the first time, I touched its waters and sailed on it, it took over my body and my soul forever . . . I am sure my brother would think the same thing. He sails in space from his studio. I prefer to climb the ocean's waves. They brought me here. Someday, they will return me to the shores where I was born. I am a son of the sea."

# The Land of the Poet

A FEW YEARS AGO, a poet died; I'd met him in a cloud of pungent smoke at one of the city's cheap cafés. His raggedy beard, his gleaming bald head, his pygmy-like stature, his stuttering, his bright little snake eyes—none of it made much of an impression on me. But his poems did, for the rest of my life; his luminous poems, with their common words combined as if by magic, reconstructed a world of splendor that exalted the writer's birthplace.

He pulled poems out of his bulging backpack, out of the pockets on his plaid shirt, from his faded suit coat and his baggy pants, written with passion and multicolored handwriting on wine-stained napkins, pages torn from notebooks and even on materials not exactly designed for writing like leather, aluminum and wood. The verses were his traveling bags, his clothes, his skin, his blood.

When they closed the café that night, we read together in the park until dawn, surrounded by bums, prostitutes and weird-looking characters, who perhaps thought we were out of our minds and left us alone.

We got together many times after that. Delighting in his poems, we shared our time and friendship, our lives and dreams. His verses had a strange way of crystallizing a moment, pain, happiness— emotions that came back to life through the simple act of reading.

I had taken the liberty of sending several individual poems by that dark poet to my family members. They got rid of my mother's headaches. They consoled my sister when she lost her lover. My uncle swore reading those verses made his arthritis a little better. In my own case, the poetry was a delight. I felt it lengthened my life and made my reality less burdensome.

Nevertheless, while those verses made others' lives more rich, they did nothing to relieve the pain the poet suffered: a profound nostalgia that tormented him day and night, that kept him always at watch, denying him the minimum amount of rest he needed to renew his vital energy for daily living. When I met the writer, he was in the last months of his life, and it was obvious that poetry was the only thing sustaining and propelling his life forward. A year later, he passed away, completely debilitated; he suffocated without the little strength needed to breathe.

I cremated his body and his poems, and I threw the ashes into the sea, as was his wish.

Some time later, moved by the absence of that giant of verse, I took an emotional voyage to his country to see the marvels of the place with my own eyes, that place he had turned into poetry with such love. I was inspired by the hope I'd find something there of his that would bring his poetry back to life, along with our truncated friendship. In my mind, the profoundly beautiful metaphors and vibrant images of the poet's country still resonated, these words that the poet created inside the iron prison of distance, imposed by a long, voluntary exile. On that voyage, I hoped to discover the reason for the poet's displacement, which he endured despite the fact that being so far from his beloved place of origin caused such profound sadness and eventually his death.

I went to the artist's country. My eyes and my soul were disconcerted. It was arid, inhospitable and uninhabited—a ghostly territory where mangy dogs wandered around with scarce human beings consumed by their solitude and isolation. I asked an old man if he knew the poet. He pronounced his name correctly, looked at me with his huge eyes, as if he were surprised that someone were asking about that man, and, without hiding his indifference, said he had never heard of him. He swore that miserable place wasn't the birthplace of poets, but rather of pygmies and cannibals.

I forgot that pitiful version of the poet's homeland. I preferred to remember the one that his entrancing poetry had shown me years before in that smoky, cheap café in the city.

Every now and then, I go back to the café with the excuse of enjoying a glass of wine, but I know I'm on the lookout for my lost friend, of whom I have great memories, and unfortunately, only one poem that miraculously escaped the fire, which unfortunately doesn't do him the honor he deserves, as it is not his best work. What an irony. Had this happened to other authors whose wish was that their work be destroyed after their death? Virgil wanted *The Aeneid* to perish in the flames; Kafka wanted all of his unpublished work to find the same fate. Were their best works the ones that survived? Did Augusto and Max Brod make the right decision when they disobeyed Virgil and Kafka's wishes?

I have a clean conscience; I followed the poet's sacred wishes to the tee. I don't care if his last poem in existence is excellent or mediocre. Fame will decide; Virgil describes Fame in *The Aeneid* as:

> The fastest of all the plagues, messenger of Jupiter, is a deity with a strange form, with a hundred mouths, a hundred tongues, a hundred ears and huge wings, and among the feathers are even more eyes always on the lookout. At night, she slips among the shadows, flying between heaven and earth, and in the daytime, she takes up her post in the high towers of the cities, to proclaim both what is good and true and what is evil and false. Some poets represent her as a graceful maiden in a wispy tunic with a trumpet in her hand. These poets portray her in this way to praise her, so that she carries the news of them and their works everywhere. But Fame is unpredictable, and often does the opposite of what might be expected.

Nonetheless, for me, my dear friend's surviving work represents a part of him that lives on . . .

> Homeland, I wander around the world
> drifting, rambling
> far from you, from your sweet embrace
> following the course of my destiny

in circles
like a dog chasing its tail.

Homeland, in my long exile,
your memory assails me,
dangling from a delicate thread,
built on a vague image
of something that could have been.

Do you still exist
or are you now just fiction?

Sometimes I think you are like a mother
who has waited thousands of years
at the port of oblivion
for her son's return.

Clinging to the dock of hope
you shed a tear of love
for each ship that returns empty
without turning your sad face
away from the blue waters of the high sea.

Homeland, sometimes you are a dream,
at others a nightmare
in which my brothers dishonor you,
devour each other.

Homeland,
something tells me I will go back.
I don't know how or when.
If it will be under the shield of defeat
or on the victory carriage.

Your smile will erase my sorrows.
Your love will heal my wounds.
You will take my harried existence to your breast.
You will be a mother anew.
I will be a son, again.

One day, I received a phone call from a diplomat from the poet's country, who said his government was interested in offering a posthumous tribute to the author; for this reason, they requested my presence, since they recognized I had been one of his closest friends.

I asked the official how he had gotten that information—my personal information and phone number. He said his government knew practically all of it, that in the contemporary world, it was very easy to get all kinds of information about anyone, alive or dead. I told him citizens have a right to their privacy. "In modern times," he said, "neither rights nor privacy exist."

I admit the idea of the tribute really surprised me, not because the poet didn't deserve it, but rather because it was the government's idea, and they sometimes have ulterior motives at the root. But since it was recognizing my dear friend's work, I couldn't decline the invitation. For the second time, I traveled to the poet's country.

This time, it was the complete opposite of my previous trip. The media made a great hullabaloo over the tribute to my deceased friend, now christened as "the national poet." To my great surprise, his work would be published in gorgeous volumes in an enormous print run and distributed free during the official recognition ceremony, which would be held in a park full of beautiful gardens surrounding a sculpture dedicated to the poet. The image of the artist was there, sculpted in bronze for posterity; the raggedy beard, the gleaming bald head and the bright little snake eyes with the unforgettable backpack full of verses on his shoulder.

During my short speech in memory of the poet, I was overcome with emotion, and tears clouded my eyes, which forced me to pause several times. The applause from the public moved me to continue, and then I decided to read *Homeland*, which the president's wife enjoyed. During the reception afterwards, this beautiful, young, intelligent woman begged me to give her the poem as a present. I copied it onto another sheet of paper for her because the one I had was written by him in his own handwriting and was such a precious, sentimental thing to me.

Since I was speaking briefly with the first lady, I took the opportunity to ask her about the origins of the work that had been published and distributed. The Minister of Culture, who was by her side, said it was from one of the poet's family members, who periodically received copies of verses from the poet. So as not to ruin the magnificent tribute ceremony, I decided then not to reveal two things to those people: that I had burnt the poet's work as he had wished, and that in my reading of the extensive volumes published by the government, I had not recognized any poems by my friend, nor his very personal style and creative power. I had found none of that in the work published in the poet's country. These were merely third-rate poems which pondered the homeland, the people and national symbols with trite phrases. It was the first time I resented having obeyed my poet friend, burning his creations in the fire, because posterity would not remember him as the brilliant poet he was, but rather as the official, mediocre poet created by the government of his country. I remembered Virgil's prophetic words: "Fame is unpredictable and often does the opposite of what might be expected."

# The Plan

IN AN UPSCALE RESTAURANT, the waiter approached a table of two, set a few drinks on the white tablecloth and, with a friendly smile, announced, "Courtesy of that gentleman," as he pointed discretely to a table near the wall.

They accepted the courtesy with a "Thanks" and a "Very kind."

The waiter did the same with the other customers in the restaurant at the time, and everyone began to ask each other who that man was at the table with a bottle of wine and appetizers, drinking alone and happily giving away drinks.

Four men who were drinking at a table near him thanked him for the kind gesture since it was something they weren't used to—an action was rarely seen in that city after the civil war, least of all in luxurious restaurants like that one.

"To your health," the man responded. The proprietor approached him and greeted him very politely. He tried to exchange a few words, but the man just responded with a smile and when he asked his name, he answered "José."

The owner walked way, asking himself who that José could be, who he had never seen before in his business. He hoped he had enough money to cover what he had given away, the fine French wine and the gourmet foods he was eating.

• 2 •

The truth was, José was not a stranger to that town. He had been born in a small village not very far from there. As he savored the subtle flavors of the wine and the foods typical of the area, his mind roamed to the times when, as a twenty-five-year-old, his luck forced him to emigrate. Twenty-three long years had passed since then, but he recalled the circumstances of his leaving so vividly, it was as if it all had happened the day before.

It was the time of the civil war. One morning, the little town where he lived with his son, daughter, wife, mother and father was invaded by government troops, who immediately clashed in furious combat with the rebel forces passing through the village, headed to their base in the mountains.

When José, who wasn't there at the beginning of the invasion, got back, he found his house burnt to the ground and his whole family dead in the yard. In his desperation, he ran around, yelling and asking for help. A bullet struck him and made him lose consciousness. When the battle was over, the whole town had been destroyed and most of the residents were dead. Others had fled.

A brigade of nurses picked up the few survivors and transported them to the hospital. The government put out arrest warrants for them all to be tried for the charge of subversion. The Red Cross was able to get the Swiss embassy to provide them with political asylum, under whose protection they traveled to that country where they recuperated and were granted the opportunity to settle permanently.

A wealthy businessman, owner of a hotel chain, gave José a job, and he devoted himself heart and soul to his new job and new life. In time, he earned his boss's trust and was an excellent administrator of his businesses. The Swiss man developed a great deal of compassion for José due to his intense and honest work and unquestionable loyalty. He made him his right-hand man and, eventually, a member of his intimate family circle. José reminded him of his father as a young man; he had emigrated from Sweden to Switzerland without a penny in his pocket and without knowing anyone in his new country, but through hard work and intelligence, he excelled in the hotel industry to the point that he was able to purchase a small inn and later found a chain of select hotels. Besides his fortune, the Swiss man had inherited his humanitarian sentiment from his father, and he firmly believed his good fortune grew in direct proportion to the good he did for his neighbor, above all for the poor.

• 3 •

Other respectable people from the town arrived at the restaurant, among them Don Fabio, the mayor, an obese man with a moustache, accompanied by his wife, a woman with a harsh, serious face.

Then came Don Clemente, a tall white man, the richest person in the area, courting a beautiful girl much younger than him.

Minutes later, they gave a table to General Justiniano, a small, thin man with severe facial features, and to his wife, a happy-faced young woman with resolute manners who immediately ordered a shot of their best whiskey.

José told the waiter to serve a drink to all of the people who just walked in, along with the appetizer of their choice. This impressed them; they willingly accepted the gift and lifted their glasses toward José. The general's wife thanked him loudly.

They assumed that man was some lucky guy who had won the lottery or received an inheritance and wanted to share his good luck with everyone. Others were convinced he had emigrated to the US, an "*hermano lejano*" or "distant brother" who came back with his pockets full of dollars and relished in being able to get everyone drunk and show off the fortune he had made in El Norte.

José returned their toast with a smile and drank happily, since all of this gave him a strange sense of joy. Under the curious eyes of the people present, he stood up and went to the bathroom. He returned and continued to enjoy the exquisite appetizers, taking tiny sips of wine and giving away drinks.

• 4 •

As time passed, and with his predisposition for hard work and the support and instruction of his protector, José completely mastered the skills of the hotel industry. He learned French, German and Italian, the three languages of Switzerland, and in his free time, he educated himself in the arts and elegant European manners until he had become an educated gentleman.

When the Swiss man was about to die, twenty years after he had taken him under his generous wing, he called him to his deathbed and informed him he would inherit one of the most select hotels in the country, under the condition that he use his fortune to help the poor in memory of his protector, which José promised as he cried tears of deep sadness and appreciation.

Some time later, due to the good experiences he had with his deceased benefactor and his excellent personal business sense, the inheritance multiplied, which made José an extremely wealthy and influential man.

As if all that good fortune wasn't enough, one of the beautiful daughters of his old patron, who until her father's death had devoted herself to the old man's care, agreed to marry him, which finally filled the void left by the loss of his first family. Up to that point, José had cried at night, and he was filled with intense suffering despite his wealth.

Nevertheless, before getting married, José thought he would not be completely happy if he didn't carry out the plan he had conceived the moment he set foot in Switzerland: to return one day to the town he was born and build a tomb to his dead family. Among other things, he would use the trip to do works of charity in memory of his benefactor and to settle some unresolved matters.

That's why he had returned to his country after his long years of absence and why he found himself in that restaurant, where, to his great satisfaction, no one recognized him. He smiled happily, since he thought the execution of his plan was going smoothly.

• 5 •

In the restaurant, the mayor said in a loud voice that the town had seen some certainly peculiar events in the last few days. They had seen a man in the plaza giving away clothes, shoes and money to the poor; the nuns at the orphanage were happy because a stranger had donated sufficient funds to expand the orphanage and to keep it going for the next twenty years.

Don Clemente, the rich man, was surprised to hear the news and asked himself if that person might want to purchase the lands he had put up for sale a long time before but which no one bought since they didn't have the money.

Those lands had been taken from campesinos who, fleeing from the violence of war, had emigrated temporarily to other regions, and who, upon their return, found their property had been confiscated and could only farm them if they paid a monthly rent to Don Clemente, the new owner according to the legal titles given to him by the mayor, Don Fabio.

Don Clemente decided to find out who that man was as soon as possible in order to propose the sale of the lands that never belonged to him.

General Justiniano was not excited in the least by the mayor's stories, since he was dealing with some matters that caused him great concern. Worrying was the least he could do. That morning, he had received a document by certified mail from the International Court in Geneva, in which he was charged with crimes against humanity, specifically, for having ordered the troops, twenty-three years before to invade the little town and level it to the ground since he thought it was a "nest of subversives." The document detailed the properties destroyed and the names of more than 300 dead, innocent victims of the invasion. There was an extradition order attached to the document with the date and the location of his formal trial.

The document was also distributed widely to the national and international media. Just that day, local newspapers published General Justiniano's picture, along with the charges and the extradition order; it became the topic of open discussion on radio and television programs.

One of the customers in the restaurant at that moment dared to ask the general if he would obey the order of the international court, and the official, obviously upset, decided he'd rather swallow his words along with the shot of whiskey the kind stranger had provided for him.

José listened to those and other comments in the restaurant as he savored the smooth French wine calmly. He thought the effort, time and money he had invested in the investigation into the massacre of the town's residents had been effective. Even though General Justiniano's trial would not bring back all those people or his family, perhaps it would serve as a lesson to those who abused their power and would bring to light the atrocities committed against innocent, weak people by representatives of the government. José had moved heaven and earth in Switzerland to make sure their scrutiny got to the bottom of things and for the International Court in Geneva to pass a legislative resolution and put it into effect. The results were still to be seen. *But, at least*, he thought, *the truth behind the deeds* will be *known around the world.*

• 6 •

Two police officers, accompanied by the judge, came into the restaurant. The proprietor tried to stop them and find out why they were there, but the three men went straight to the table where the mayor and his wife were seated and, without further adieu, the judge announced, "Mr. Mayor, I have strict orders from the central government to arrest you."

"What did you say?" The mayor's wife was frightened.

The judge declared. "Mr. Mayor, you are under arrest for, among other charges, embezzlement of municipal funds and stealing property."

The mayor was unmoved. His wife, extremely rattled by her rage, screamed at him, "Defend yourself, Fabio. Don't just sit there like an idiot!"

The mayor said, "There's nothing to defend."

The judge ordered the officers, "Please handcuff him and lock him up in the city jail. The trial will be in three days."

They left with the mayor under arrest. The woman followed them, cursing at them and screaming hysterically.

That scene was the result of José's plan to unmask Don Fabio. The town mayor's office was always controlled by this man's family. His grandfather was mayor for many years, and when he retired from politics, the post passed on to Don Fabio's father, who governed during the civil war. This man turned over the post to his son, who was still in office when José returned to the town.

Before returning, José also financed an exhaustive, secret investigation into the electoral tactics the family used during the public elections to make sure they kept control over the mayor's office.

These tactics included buying votes, blackmail, threats, intimidation, falsifying electoral ballots, destroying ballots supporting the opposing parties and a great deal of other anomalies.

The documentation was handed over to the authorities in the central government, in the electoral commission and to the media. José hoped the mayor's arrest and the charges that would be presented at the trial would demonstrate the electoral corruption at play in the town. His restrained optimism didn't allow him to hope for much more than that. He thought, *Times have changed, at least a little, and who knows . . . maybe the previous elections will be annulled and they'll call for new ones under unyielding, public scrutiny.*

He also made it clear in the documents that the titles of the lands given to Don Clemente by the mayor were false, and therefore he asked that the lands be returned to their true owners, whose names and properties he described in the detailed documentation prepared by national and foreign investigators and certified by a local lawyer who was known for his honesty.

José wondered if it would lead to positive results. In towns like that one, anything was possible. The residents had seen so many incredible things that nothing—no matter how absurd—could surprise them.

First thing tomorrow, he would go inspect the tomb dedicated to his family. Then he would go back to his adopted country to get married and start his new family.

Meanwhile, there was nothing else to do but to savor wine and give away drinks to those people who would never know his real identity or the reason for his return to the town after twenty-something years. *It's better this way*, he thought. He had heard his beloved benefactor tell him once that secret revenge is sweeter than honey, and he was in complete agreement.

He paid the bill and left a generous tip for the waiter, said goodbye to the proprietor, who begged him to come back whenever he liked, and left the restaurant. Once in the street, he heard a loud explosion from inside the restaurant.

The owner pushed open the door in one fell swoop and shouted hysterically, "The general blew his brains out!"

# Yo también soy América

*"I, too, am America"*
—Langston Hughes.

My hands grow
America's food.
I build houses and buildings
to shelter America.
I erect bridges and highways
for America's progress.
I take care of the children:
America's future.

But when I look for food
that I've grown with my sweat,
shelter in the house
I made with my hands,
and my children look for a future
in the school I built,
I am rejected.
I am undesirable.
I have no right to exist.

They don't accept
that I, too, am America.
Because with my sacrifice and my blood
I feed and build
the present and the future
of America.

That's why
*yo también soy América.*

# The Crossing

• 1 •

FINALLY, I MADE IT to the border. Only the river separated me from the promised land, the land of dreams and hope for a better life. The waters of that legendary current, wide and plentiful, crossed by so many human beings, glimmered in the moonlight.

Hidden in some bushes on the riverbank, I waited for the best moment to get into the water. I would have to do it very carefully and look for the best place, because despite the seemingly slow current, that river could be deceiving.

Police patrolled the area. The rumor was that they used sophisticated technology to catch the smallest motion in the border zone. Even satellites compiled information from space and transmitted it to research centers, where it was analyzed by computers, which immediately sent messages to the officers, indicating the exact positions of the undocumented so they could intercept them as soon as they crossed the river, the desert, the mountains, the sea.

Despite it all, the overwhelming needs oppressing people, you can bet they'll find a way to overcome incredible obstacles and cross huge, insurmountable walls. Nothing and no one stops a person willing to get over their own misery.

The border was also full of journalists, photographers and television cameras transmitting the immigrants' situation "live and on the scene" as if it were a show. The more tragic the news, the bet-

169

ter, because it attracted a larger viewing public, meaning good ratings and financial gains. The undocumented immigrant had become a product for economic speculation, although the media
argued the extensive coverage protected immigrants from abuse by
the Border Patrol.

I was waiting, crouched down, remembering the *coyote*'s advice.
He'd brought a group of thirty people from Mexico City, composed
of undocumented Latinos, Indians and Chinese. Sometimes it was
hard for the man to keep control over the group because many
didn't speak Spanish. The deal had been that we would cross the
river with him, and he would take us to Los Angeles, but just when
we got to the border, the *coyote* disappeared and each one of us set
adrift, left to our own devices. People say he was being pursued by
the law for smuggling, and by other *coyotes*, with whom he had some
unsettled accounts. The majority of the group wanted to wait and
look for another guide. I decided to cross by myself. Since then, I've
crossed the border twice, and both times I was caught.

The first time I crossed through the Arizona desert, I fell into
the hands of ranchers who devoted themselves to hunting undocumented immigrants for sport, outfitted with all kinds of things like
radios, infrared glasses, halogen floodlights, photo cameras and
trained dogs. When they detected my presence, I was corralled like
a deer. They made strange noises like savage animals and threw
stones to scare me. Then they blocked the way so I would run the
other direction. For them, it was exciting and fun. For me, the
thought of human beings being hunted was terrifying. When finally
they got tired of running, they caught me in a net, like an animal.
Back at camp, they started the party. They congratulated each other
and laughed, took pictures next to me and celebrated with drinks,
music and dancing. The one who caught me got a trophy from the
one in charge, who spoke about the "noble" meaning of their hunt.
He said it wasn't the first time, since back in 1926 the same thing
was done to clean the Apache Indians out of the area. Those men's
fanatic quest to keep their land free of immigrants made me think
they would cook me in a huge pot and eat me for dinner. I felt completely relieved when I was handed over to the Border Patrol. With-

out asking me any questions, they threw me back on the other side of the border.

The second time, I crossed the river. It was a cloudy day and smelled like rain. I thought there wouldn't be much surveillance because of the coming storm. A woman and a child waiting with me crossed first, through a wide part that seemed to be slow-moving. The current moved stealthily like a wet snake. The mother and child crossed slowly and soon were in the middle of the river when suddenly the boy slipped, let go of his mother and the current swept him away. The woman shouted for help to rescue her son and set off after him but she too was drowning. Journalists and cameras appeared. On both sides of the river, spectators gathered around to watch. The mother pleaded for help, but the cameramen just kept filming, and the journalist documented the mother's suffering instead of helping her. The spectators, full of emotion, watched the macabre show. The river devoured its victims like a ferocious beast. I don't know how to swim, but I jumped into the water and made it out to the woman and tried to save her. That part of the river turned out to be extremely deep. She was swallowing water, kicking her legs around and screaming. The Border Patrol officers heard her cries but were unable to help us because, according to them, they didn't have the equipment appropriate for operations like that. In her desperation, the woman climbed on top of me and pushed me underwater. I swallowed water; I was drowning. Finally, we were rescued by a rope and lay down on the grass at the riverbank. The woman kept calling out to her son and wanted to get back in the water to save him, but there was no sign of him anymore. The cameras, of course, filmed everything: the bubbles from the kid's last gasps for breath leaving behind only tiny circular waves in the water, and the sad moaning of the woman who was cursing the river and the day she decided to cross it. Her cries broke my heart. The reporters continued to transmit all the details about the tragedy on television. The police seemed unaffected, faithful to their mission of sending us back to the other side of the border.

I was still crouched down, remembering all that, waiting for the best moment, thinking that this third attempt might just be the successful one. I didn't know what was waiting for me on the other side, but I had nothing to lose, and I had made up my mind. They say having courage is half the battle.

• 2 •

My chance to cross the river had arrived. I couldn't wait another minute. Everything seemed calm. The soft splashing of the fish in the slow current was the only thing that disturbed the calm that night.

I picked a more narrow part and carefully calculated where it wouldn't be too deep. The water came up to my knees. I crossed without any problems, and I was amazed at how easy it was that time.

I found a hill in front of me, and I decided to climb it. I had a feeling the highway was on the other side. I climbed down and there was only silence and darkness.

Suddenly, some bright lights flicked on and blinded me for a second. I covered my face to block the blinding rays of light.

A police officer grabbed my arm and led me to a group of men who, like me, seemed to have gotten caught. A young woman in handcuffs was surrounded by several Border Patrol officers. An officer shouted at her in heavily-accented Spanish, "What's the name of the coyote that helped you cross? Tell me!"

The woman started crying and with her voice faltering, she said in Spanish, "I don't know his name. He never told us his name."

"Okay. If you don't want to cooperate, then you'll go to jail and get deported. Take her away!"

Two police officers escorted the woman away and pushed her to the back of a minivan where other undocumented immigrants were waiting.

"Next!" someone shouted.

The police officer who hadn't left my side took me by the hand to take me to the chief. I had recovered my vision a little, but the bright lights still didn't allow me to see clearly around me.

I felt completely defeated by my bad luck. My third attempt had failed. They'd caught me, and I thought it was in my best interest to cooperate with the police. Anyway, everything was lost.

"Let's see if you want to cooperate," said the chief. "Tell me the *coyote*'s name."

"Sir, I don't know the *coyote*'s name for sure, but I remember some people in the group calling him Texas."

"What?"

"Texas . . . He robbed our money and abandoned us. I didn't want to pay another coyote and I crossed the border without anyone's help. I crossed the river, but just to rescue a woman who was drowning. The police arrested me . . ."

Just then, I heard a loud voice that seemed to come out of a loudspeaker. "Cut! Cut! Take a break! We'll film the next scene in twenty minutes!"

The lights dimmed. The police officers walked away. A man with a megaphone in one hand and a book in the other approached me. He said to me in a friendly voice, "You didn't follow the script, but what you said was still convincing, and your acting was really natural. Where'd you get all that about the woman who was drowning in the river?"

I didn't understand the question, but I didn't think about it much. I just said, "From real life."

He spoke to another guy with him. "We should put that into the script. It seems like it'll give more weight to the character and will make it a more believable scene."

"Good idea, director," said the other.

He looked me in the eyes and said, "Put it in your copy too."

"What copy?" I asked.

The man looked a little disconcerted. "You lost it?" Then he said to the other guy, "Give him another."

They handed me a bound stack of paper that said "Río Grande–Script" on the cover.

"Your part, the Salvador character, starts on Page Seven," someone said. "Keep working on your character."

When he was about to walk away, the assistant came back to tell me, "I agree with the director. What you said about the woman who was drowning in the river was really convincing. Good work."

I was going to tell them I hadn't made it up, that I'd lived it, but the man walked away. At that moment, everything became clear. I finally realized that I'd ended up in a place where they were filming a movie. The weirdest thing, though, was that I had played the part of one of the characters, and the director hadn't just believed me, but also he seemed to be impressed by my acting.

Luck had arrived all of sudden by surprise and in the strangest way. I didn't know the least thing about acting and never, not even in my dreams, did I aspire to be an actor. But these are the cards I was dealt, and I had to take the chance and learn those dialogues by heart, those words that were pretty much the same as my actual real life.

I understood that becoming an actor wouldn't be easy either, since one doesn't change who they are from one day to another, and being a good movie actor could be a life's work. But that movie had become my life raft, and I was willing to grab onto it and sail the river of my destiny.

The loud voice on the megaphone announced, "Attention please! We're going to start filming again in five! Heads up! Five minutes!"

• 3 •

Time passed, and with the director's understanding and support, I acted my part all the way to the end. According to him, he didn't have to teach me much because I was a born actor.

The movie *Río Grande* ended production and was launched in theatres quite successfully, to the great satisfaction of the producer, the director and the movie company. It was even nominated as one of the best movies of the year, and I was nominated for best actor.

The night of the awards, I was waiting in a dark corner behind the curtain on stage. Scenes from my past flashed in my head: when I was waiting hidden in the bushes on the riverbank before I crossed the river. I remembered the anguish and the uncertainty, the glimmering of the water in the moonlight, the cold current that reached to my knees. Everything from that time seemed like a strange movie with a certain haze of pain. Then, I was seized by the memory of the mother and her son.

The director came over to me, and when he saw me crouching down, shaking and gripping the folds of the curtain, he spat out, "What are you doing there? Hurry up! They're calling you."

"Why are they calling me?"

"Let's go! Hurry up!"

He took me by the arm and pushed me onto the stage like he was throwing me into the dark waters of a river. "You won best actor! I told you!"

Hesitant and fumbling around, I appeared at the back of the stage. Blinding lights glared on in my face. Someone handed me a trophy and gave me a kiss on the cheek. A wave of applause burst from the audience.

*It's time to act again*, I thought as I tried to regain my composure. There was a microphone in front of me.

The sad moaning of the woman for her drowned son echoed in my mind. Her crying still broke my heart. I felt responsible for the boy's death, and I was overwhelmed by a profound sense of loneliness. I could only stutter a few words, with tears in my eyes. "I dedicate this award to those who have crossed the Río Grande in search of their dreams . . . to the mothers and to those who died trying to cross it . . ."

I couldn't say another word. I turned around and walked away. At my back, a huge flood of applause and a standing ovation burst out, but in my mind, the moaning of the woman grieving for her son was even louder. The image of the river seemed like the sand in an ancient Roman circus, with the crowd, full of emotion, observing the horrendous spectacle of the defenseless child drowning in the river. No one took it upon themselves to jump into the water to save him. They just clapped.

# Juana's Dreams

*To Mirella,*
*the warm heart*
*of the homeland.*

## • 1 •

JUANA, Salvadoran by birth and resident of the United States, felt extremely happy when the civil war that had scourged the country for twelve years finally came to an end. Since then, she had made it a habit to visit her native country religiously each year for the fiestas in August. On one of these trips, her sister Lidia, who lived in one of the new colonias in the city, invited her to a family luncheon to celebrate her birthday.

Juana accepted willingly, and on the day agreed upon, she went to Lidia's house and found her busy setting the table with plates, pots, cups, knives, spoons, ladles and forks. An overflowing pot of fragrant *gallo en chicha* occupied the center of the table, surrounded by a steaming rice with *chipilines*, *rellenos de huisquil*, *crema*, cheese, *flor de izote* with eggs, tortillas and tamarind drink. Juana's favorite dishes were all there—the ones she had missed in the faraway country in El Norte. Even if there were Salvadoran restaurants there, they didn't serve the delicacies that required special knowledge of the country's traditional foods. Lunch promised to be a real feast.

Juana walked into the dining room with her nephews, Alfonso, Mercedes and Alex, and Chico, her brother-in-law, who urged her to take the seat at the head of the table. Suddenly, her eyes fixed on some avocados and she couldn't hide her surprise, "Lidia, where'd you get those avocados? They're the biggest ones I've seen in my whole life!"

"I bought them from an Indian woman from Panchimalco who has a stand at the market," Lidia said distractedly, focused on setting the gourmet foods on the table, knowing full well that they were going to make her beloved sister very happy.

They asked Juana again to take a seat to begin the feast, but the avocados had captured her attention; she seemed to be captivated by their unusual size.

Finally, they sat down, and after a short prayer, they began to devour the exquisite food.

"What a spectacle! So many delicious dishes!" Chico was amazed. Then, as a joke, he added, "If this is how we eat on Juana's birthday, I wish her birthday was every day, because normally we only get to eat rice, beans and tortillas."

Lidia asked her husband not to exaggerate, because her sister would think she didn't feed her family well.

Juana savored the succulent lunch, but she didn't take her eyes off the avocados. Lidia took one in her hands, cut it and offered her a slice.

Juana looked at the slice of avocado for a second. Immediately, she cut a piece, sprinkled it with salt and put it in her mouth. She savored it, taking her time, and when she experienced the pleasure of the creamy, vegetable meatiness, she closed her eyes and exclaimed, "¡Dios mío! How delicious! It's the best avocado I've ever eaten!"

Everyone watched her out of the corner of their eyes since they didn't understand why Juana was so excited about that fruit that for them was something as normal as day and night.

Chico tried to justify his sister-in-law's enthusiasm. "In the United States, they might not have avocados. That's why she's impressed."

"They do have them," said Juana, "but they're small, hard and expensive, and what's more, they taste terrible."

Alfonso, the oldest of the nephews, told his aunt she should take some with her so that she could eat them over there. For her part, Lidia told the boy not to speak with his mouth full because it was rude. Juana defended her nephew and asked her not to scold him since he was just trying to help her. Then, as if all of a sudden realizing the magnitude of what the boy had said, she added, "What a great idea you've given me, hijo. I'll take some avocados to the United States, but they have to be these exact ones."

"Of course," Lidia said. "A few days before your trip, we'll go buy them."

The party continued on with jokes and laughter. At the end, everyone was full. The lunch was a complete success.

"Thanks for the feast," said Juana when she said goodbye to her family. "You can't imagine how much I've enjoyed it. It's been such a happy time for me."

• 2 •

A day before heading back to the United States, Juana went with her sister to the market to buy avocados to take back with her. They found the woman selling them, at that moment talking in an indigenous language to a girl of her same race that was keeping her company. When she saw the avocados, Juana wanted to buy all of the ones in her basket, but she was only able to purchase three because they were so very large. The woman put them in a plastic bag with a certain sense of ceremony as she murmured something, probably saying goodbye to the fruits. It was impossible for Juana to understand those words, and she noticed the woman had a strange attitude, as if she were proud of the avocados and didn't want to be separated from them.

When she packed her bags, Juana made sure to wrap them up so they would be protected. Luckily, in the airport, they didn't search her bags, and when she got to her home in Virginia, she felt an incredible sense of relief, since she could finally take out her precious treasure and display them on the table in the dining room.

In following days, she ate the delicious avocados. A complicated feeling—a mixture of joy and sadness—invaded her whole being as she ate the last piece, but her face lit up when a saving thought came to her mind and she had to say it out loud, "I'll plant the seed so it grows into a tree and produces avocados!" She congratulated herself for having conceived such a great idea, and whispered, "I'm not so stupid after all."

She devoted herself to taking care of the avocado plant as if it were the most important project in her life. She got a big pot, good soil and compost, and even vitamins to add to the filtered water she watered it with. She planted the seed with total care and devotion and sprinkled it every day with the vitamin water as she prayed to San Antonio del Monte for the seed to germinate.

Someone told her that plants grow better if you talk to them, so Juana set a bench near the pot to sit down and talk comfortably. At first, she'd say a few affectionate words toward the pot, like "Pretty little seed," and then she would leave.

With time, her short phrases became long monologues that eventually turned into real stories, which Juana told not only so the seed would germinate, but also to lessen her loneliness in that city where she still felt like a foreigner after more than ten years of living there.

But the nut didn't grow, despite the compost and the vitamin water, and despite the fact that by then Juana had told the pot the critical parts of her life. She'd told it how she lost her two oldest children in the civil war, one in the national army and one in the guerrilla; how she'd left her country out of fear of a death threat with her husband, a daughter and a son, one horrible morning she preferred not to remember, "We suddenly had to leave behind what had taken us a whole life to build—a house, a home, a family—to head off on an uncertain, difficult voyage through Guatemala and Mexico and entering the United States illegally. With the help of friends, we were able to find work to get by and pay for an apartment, although what we wanted most was for the war to end so we could go back to our country, to our family, to our roots, because none of us wanted to stay forever in this strange country. But the war didn't end, and in time, it seemed like we were getting used to it. My daughter married a gringo, my son dropped out of school and went into the U.S. Navy, my husband worked day and night. The dollars blinded him, and he spent more than he made. Before he was a peaceful person, but he became a womanizer, a mean drunk; he was impossible to put up with, until after thirty years of marriage we got a divorce. The word is he's running around with a girl younger than our daughter, and I was left alone. Without children, without a man, without a country . . ."

One morning, before heading out to work, she decided to check on the pot, and suddenly, she was overcome with an overwhelming sense of happiness. She saw a tiny little leaf and screamed, "Gracias, San Antonio del Monte for hearing my prayers!"

In a fit of excitement, she grabbed the phone and called her sister in El Salvador, who she had kept informed ever since she planted the seed. "Hola, Lidia! It's Juana!"

"Hold on . . . and to what do I owe this phone call so early in the morning?"

"The seed finally germinated. A little green leaf popped out. It's so pretty!"

Lidia thought: *My sister's gone insane, Dios mío*, and she told her, "I'm so happy for you."

"I've fed it and taken care of it. I even spend hours talking to it. I've also prayed to San Antonio del Monte a lot and promised him a mass if he gives me a little tree."

"Well, I see you've had good luck."

"Yes, thank God and San Antonio del Monte, the seed germinated. Adiós, little sister. I love you a lot."

"Adiós. If I were there, I'd give you a hug and kiss."

• 3 •

A little plant grew with a thin, tall stalk and elongated, dark green leaves. It got bigger and bigger, giving Juana hope that one day she'd have her own tree bearing delicious avocados.

In the United States, animals—mainly dogs and cats—are the domestic companions for single people, the elderly, the sick and children, to the point that they are considered members of the family like any other. In Juana's case, that plant had won over her heart and become her friend, the center of her care and attention.

It wasn't just another plant; for Juana, it was a symbol of identity. It was a constant and crisp reminder of her culture, customs and ancestors; it was a living fragment of her beloved faraway native country. She thought she would return to her country even if only to live the last years of her life in a small house in Santa Tecla that she had purchased through great sacrifice and left in her sister's care. That small avocado plant represented all of that for Juana: an emotional bridge that connected her past with her present and her future. That's why she took care of it like an important part of her existence.

Worried about the harsh weather during the cold, snowy winter, Juana kept the little tree inside the house under an artificial light. In the springtime, she took it out onto the patio on weekends. When summer came, she decided to transplant it into the garden; she fertilized it well and surrounded it with flowers of all different colors and types. The avocado seemed to have adapted to the climate and continued to grow and to put out its characteristic big leaves.

Juana's dreams also grew, and in the afternoons, she'd sit on the patio to watch the little tree, and her entire being was filled with a pleasant feeling of joy mixed with the melancholy of her memories. She thought about the abrupt turns of fate she had experienced in her lifetime. She asked herself how she had made it to that far-off land when before she wasn't even willing to travel to neighboring Guatemala. Why had the time passed so quickly? Why did she find herself so alone after having been the center and the motor of a home full of kids, struggle and problems, but above all harmony and a lot of happiness and vitality? Why had life given her everything and then abandoned her to that dark, lonely apartment? *But perhaps, now, none of that matters,* Juana thought, *because the past is now just a memory, a succession of silent images that are beginning to fade*—perhaps from being stirred so much in her mind's eye.

"Where could my son be?" she asked the avocado plant sadly. "What could be happening with my daughter? They don't visit me or call me on the phone anymore." She was going to whisper, "I wonder when my husband will come by," but the words dissolved before coming out of her mouth, since she remembered she had been divorced for a long time. Under the rays of the soft, afternoon sun, she fell asleep and her dream kindly offered up pleasant images and situations, very different from her circumstances but which comforted her soul nonetheless.

• 4 •

Summer in Virginia is usually harsh with unexpected changes and extreme temperatures. At that time, a wave of intense heat and humidity struck the region. Juana's avocado plant couldn't handle the harsh climate. By the time she decided to transplant it back into the pot to bring it into the apartment, it was too late. All she found was a dry stalk and some wrinkled leaves.

With tears in her eyes, she called her sister. The lines were busy, but after several attempts she was able to get through, and when she heard Lidia's voice, she stuttered, "Lidia, the avocado plant died."

Unable to say anything else, overcome by a deep sadness, she burst into tears like a baby. Her sister couldn't understand the magnitude of the situation, but she tried to console her. "Ay, hermanita, I'm so sorry."

"If you'd seen how it grew, my little avocado plant . . . "

"It's so sad."

"Yes. It was already so pretty."

"I'm so, so sorry."

"A big heat wave came."

"You should have left it in the pot."

"Yes. I shouldn't have transplanted it."

"It's just that maybe the avocado isn't meant for the extreme climates up there. Maybe it only grows in a tropical climate like in our country."

"What a shame. The only thing left is a stalk with no life and some wrinkled leaves, like it died of sadness."

Lidia noticed her sister's desperation in her voice, and she said, "Hermana, the August fiestas are coming up and you'll be here soon on vacation."

"I don't know if I'll come this year," Juana said with disappointment.

"What do you mean, no? We're expecting you here. Your nephews are asking if we can celebrate your birthday. We all love you so much. We're your family."

"Right now, I don't even know what to think."

"We'll buy big avocados, the ones you like. We'll go walking around the port, eat your favorite foods. You know, there are so many fun things to do, so many beautiful places to visit. We're all waiting for you—your country, your people, your family. We all love you so much."

# The Republic of Limbo

ONCE UPON A TIME, there was an unusual place called The Republic of Limbo, located on the border between here and there, between today and tomorrow, between reality and fiction. It was an area not plotted on the *mappa mundi*, but rather in the imagination of its few inhabitants.

The Republic of Limbo had no national symbols, commemorative dates, absolute truths, credos or philosophies. There were no clocks or calendars, history or legacies of the past. The present was the rule. The language's verbs had no preterite or future tenses.

Nothing was the truth or a lie. The only religion was life; the only moral doctrine was survival. There were no triumphs or defeats; nonetheless, each inhabitant jealously guarded their dreams and their utopias because they were already realized.

The Constitution of The Republic of Limbo, which was written in each citizen's mind, contained four articles:

1) Everyone has the right to live.

2) Thinking is not prohibited.

3) The territory doesn't belong to anyone.

4) There are no borders; therefore, no name, age, nationality, visa or passport is required to enter or depart.

The Republic of Limbo had no governments, political parties, religions, armies, economic systems or security; therefore, there were no poor people or rich people. Everything was everyone's and no one had nothing.

Some of the inhabitants were emigrants in search of the mythical promised land, exiles from bloody regimes, deserting nationalists, anarchists and rebels of all types, people marginalized by society, survivors of thousands of odysseys, shady artists and cursed poets. Each and every one of them was welcomed as a hero.

The Republic of Limbo was the oldest in the world because the universe began right there, in the thoughts of a transparent being, invisible but as real as the wind.

# Amat the Pilgrim

HUEPET DIED, overwhelmed by the ailments of old age. He belonged to the lineage of Balám Acab, one of the first men of maize, created by Tepeu and Gucumatz, the deities that reigned over the ancient Mayan universe.

At that time, the Spanish empire arrived from the other side of the ocean, conquering and subjugating the vast nobilities of America. The races and bloodlines mixed and new human beings were born who adopted other customs and languages, forgot their ancient roots and worshipped the god of the conquerors.

Centuries later, Amat, descendent of Huepet, set out on a search for his ancestors in the lands that retained remnants of the millennial cities and races of ancient glory.

Amat's quest led him to Teotihuacán, where he meditated before the temple of Tlaloc-Quetzalcóatl, toured the Road of the Dead and imagined the crowds that passed down that road in their magnificent ceremonial garb, led by heroes of bloody battles surrounded by their prisoners, strong slave warriors and gorgeous women, offerings for the Lord of the region.

Night found Amat at the pinnacle of the Pyramid of the Moon, from where, in long vigils, he would observe that fortress which in time immemorial was a center of powerful cultural influence among the Totonac, Zapotec and Mayan races.

Midday found him on the stands of the Pyramid of the Sun, scaling the wide stone steps with agility, watching the eagles spread their enormous wings in the blue expanse of infinity, as if they were carrying possibly critical messages about the discovery of his lineage, which he would never receive from the sacred bird because the purity of his race had disappeared after so many generations. Nevertheless, Amat had a feeling that at the very least, a drop of blood from his ancestors still ran though his veins, but it was so insignificant and weak that he didn't consider himself worthy to approach that deity of the air. But his obsession with finding out his true identity shook his entire being deeply and persistently, and it wouldn't leave him in peace until he discovered it.

He left Teotihuacán without having found the least indication of an answer. The enigma pushed him to travel to other legendary regions, since for him his existence lacked any meaning if he didn't know his origin, his roots, his blood.

Amat felt like a foreigner in the world, as if his race had suddenly disappeared and he had been left abandoned in this strange place, perhaps as a divine punishment for a sin he wasn't responsible for.

In Chichén Itzá, his soul trembled upon finding himself before the imposing pyramid of Kukulcán. Despite it being his first time in its presence, he felt like he had climbed it countless times, perhaps in his dreams, to visit the prince of the region who had received him on his throne, surrounded by strong warriors, sacred jaguars and beautiful maidens.

That landscape appeared cloudy in his memory, as if the memory were centuries old. "What had I come for?" he desperately asked himself over and over again, since the answer might hold the secret to the reason for his existence.

Amat climbed the Kukulcán castle and from the top looked down at the amphitheatre of the Ball Game, the platform of Venus, the temple of the Warriors and the plaza of the Thousand Columns—ruins from the era when the Itza Mayas were conquered by Toltec armies that emigrated to these latitudes after the dissolution of the empire based in ancient times in Tulán. They brought with them their supreme deity, Kukulcán, god of the feathered serpent, integrating their architecture with that of Chichén in order to build that beautiful city in which the magnificence of the Maya and Toltec cultures is evident.

Amat heard shouting coming from the plaza, where a crowd was beginning to gather. Someone mentioned that day would be the spring equinox, the time of the year when the length of the days and nights is exactly the same on the entire earth because the sun, in its apparent trajectory, cuts across the plane of the Equator.

Amat went to join the celebration. Several people were dressed in ceremonial garbs and a special excitement and enthusiasm was obvious in the faces of the majority of people. Suddenly, the sky was filled with a strange light and all the faces turned toward the imposing pyramid. The shadow that covered the northeast angle of the monument was reflected on the balustrade of the steps and formed triangles of light and shadow that looked like the movement of a serpent. The effect was much more spectacular and provoked exclamations of wonder from the crowds when the series of illuminated triangles touched the huge head of Kukulcán, located at the base of the steps, giving the impression that the serpent of light was moving, slowly and magically, down the pyramid. One of those present said that marvelous result could only be achieved with precise astronomical and architectural calculations and techniques.

The crowd sang praise songs to Kukulcán, who, as in times before, had come down to Earth in a beam of light with a message of renewal and greatness.

Amat, possessed by a great excitement before that singular spectacle, thought his ancestors were in reality glorious peoples, exceptional artists and impressive geniuses.

The crowd, still excited by the extraordinary event it had just seen, was gradually dissipating. Amat went into the amphitheatre of the Ball Game, the place where in olden days the sacred ceremony dedicated to the gods was held. In the game, the lives of the victors were handed over as an offering to the All-Powerful.

The area and the buildings seemed to familiar to him, but he couldn't find any trace of an answer to his obsession. He thought perhaps he'd need to travel to other ancient cities, where something might possibly be shown to him. *Could the revelation be written in the Pirámide Mayor in Tikal? In the temple of inscriptions of Copán? In the cracked altars of Tazumal?* Only the gods knew, and it seemed like they weren't willing to tell him.

Amat continued his tour of the fortress of Chichén Itzá, and one of the paths led him to the Sacred Cenote, a wide, circular, deep abyss, where in ancient times they threw jewels and virgin maidens as offerings to the gods, whose empires were located in the depths of the waters.

It was thought that the abyss of the Sacred Cenote led to Xibalbá, the region of darkness where men made of wood reigned, cast out long ago from the world of light for contradicting the will of Tepeu and Gucumatz. When the offerings and the sacrifices descended into the depths, the gods decided if they would accept them or not. Those rejected became the property of the descendents of Hun-Camé and Vucub-Camé, ferocious caciques of Xibalbá, who cremated them to feed the weak flame they were able to maintain in that cold, desolate region of darkness to which they had been confined ever since they were conquered by the twin heroes, Hunahpú and Ixbalanqué, in a legendary ball game.

The massive mouth of the Sacred Cenote suddenly exerted a powerful attraction on Amat, which was joined with the influx of energy that the luminous apparition of Kukulcán had created in his spirit. He believed they were the forces of his destiny. He stepped onto the circular edge and without thinking, he threw himself into the depths.

On the long way down, he felt his body change its form; he was becoming lighter and was being purified, and when he touched the water, he had already been transformed into his *nagual*, his other being, a native of that abyss. Would the gods accept him, or would they condemn him to the eternal darkness of Xibalbá?

Tepeu and Gucumatz, seated in their dazzling thrones made of gold and quetzal feathers, waited for him, smiling. Amat's long pilgrimage had come to an end. Finally, he was where he belonged: in the wonderful promised land of his ancestors.

# From Australia with Love

*To Rufina and Verónica,*
*separated by a sea,*
*united by the waves*
*of memory.*

> *Maybe crossing the sea,*
> *I could find*
> *the woman who knows how to love.*
> *—Folk Song.*

• 1 •

HE RECEIVED A BIG, color photo signed, "For Ramón, from Australia with love, Rosa," and he set about studying it in detail to try to understand the personality of this woman, with whom he'd started a friendship over the Internet. After a year of constantly writing messages back and forth on all types of subjects, she was willing to marry him.

They met in a cyber club, TierraLinda, where members share information about their homeland, which, due to civil war and the difficult economic situation, they had left behind to emigrate to the furthest corners of the planet.

Once, on the screen of the computer Ramón rented in a store he frequented in the city, the following message appeared, sent by one of the members of the group to which he belonged:

*Subject: Our Beautiful Country*
*Date: Fri, 14 Jan 2000*
*From: Rosa <LaNostálgica@iprimus.com.au>*
*Reply-To: TierraLinda@yahoogroups.com*
*To: TierraLinda@yahoogroups.com*

Dear friends:
   I miss my land so much sometimes I regret ever having left. I know many of you will agree with me that there is no more beautiful place on the planet to take one's first breaths . . . I was born in Las Hamacas. I don't know if any of you are familiar with it . . . From the faraway country of Australia, I send a great big hug to everyone, all of you members of this special group that gives us a space to talk about our beautiful homeland and to share profound emotions with fellow countrymen living around the world, Rosa "La Nostálgica."

That electronic message, full of melancholy for their native land, provoked messages of solidarity from a lot of members, including one from Ramón:

*Date: Mon, 17 Jan 2000*
*From: Ramón <ElMalquerido@yahoo.com>*
*Reply-To: TierraLinda@yahoogroups.com*
*To: TierraLinda@yahoogroups.com*
*Subject: Re: Our Beautiful Country*

Dear paisanos:
   Our friend Rosa is completely right. There is nowhere more beautiful than our country, and no people are kinder than our people, even though they're scattered around the whole world. They never forget their country. Those of us who remain here in the country haven't forgotten about you all either, our beloved faraway brothers and sisters. Wherever you are, whether in Europe, the United States, Asia or Australia, I wish you the best from your mother country, and I hope we continue to break through borders with the communication in this awesome club. With a strong hand-

shake from this paisano who is proud of his land and his people, Ramón "El Malquerido."

Rosa answered in another email where she thanked Ramón and the other members of TierraLinda for their solidarity. After exchanging messages read and at times commented on by other members of the group, Ramón decided to send Rosa a message to her personal email address.

*From: Ramón <ElMalquerido@yahoo.com>*
*Date: Wed, 19 Jan 2000*
*To: Rosa <LaNostálgica@iprimus.com.au>*
*Subject: Las Hamacas*

Dear Rosa:
    Excuse me for taking the liberty to write you at your personal email address. To be frank, I felt a profound longing for our land in the words of one of your previous messages. I wanted to tell you that I'm also from Las Hamacas. I was born and raised in the town, although I've moved to live in the city for work reasons. I'd like to assure you that you have a friend here, another *hamaqueño*, and I wish you the best in life, wherever you find yourself. I hope you will forgive my audacity for having written you outside of the club.
    Sincerely, Ramón "El Malquerido"

She responded with interest and enthusiasm:

*Subject: Re: Las Hamacas*
*From: Rosa <LaNostálgica@iprimus.com.au>*
*Date: Fri, 21 Jan 2000*
*To: Ramón <ElMalquerido@yahoo.com>*

Dear Ramón:
    Don't think twice about writing me directly. I'm happy you took the liberty of doing it, above all since you're also from Las Hamacas like me. What a coincidence and what a surprise that both of us *hamaqueños* wound up meeting each other in this cyber group. Thanks so much. I'm sending all my best from the beautiful, faraway land of Australia on the other side of the sea, Rosa "La Nostálgica"

They continued to exchange letters back and forth. She was look-ing for a way to alleviate her profound nostalgia for her native land and to regain her memories of that past she had left an ocean away. *And what better way*, she thought, *than to do it with a fellow* paisano *as friendly as the one who is still living in the country I hold in a special place on the sacred altar of my memory?*

For his part, he had found a window to the outside world in that communication on the computer, which allowed him to men-tally travel to unknown destinations where his faraway brothers and sisters were living and being exposed to experiences in a whole new life. One day, he deeply hoped to have these experiences as well. His deepest wish was to leave behind the environment that didn't provide much opportunity for advancement or satisfy his dream of exploring the world.

By the words the residents abroad used to write about their na-tive land, it was obvious that nostalgia consumed them and pushed them to send money to support their families economically. This nostalgia pushed them to build their dream houses where one day they hoped to return and to travel to their homeland in huge num-bers to tour around and enjoy it as wealthy tourists. Nevertheless, for locals like Ramón, their needs caused a completely opposite de-sire: to escape from there as soon as possible and however they could to look for a better life somewhere else. For him, paradise was in some far-off place, not in his country, where just surviving from day to day was torture.

• 2 •

Rosa,

Excuse me for asking. You don't have to answer if you don't want to. How did you end up in Australia? They say it's on the other side of the planet. All the best from your beautiful country, Ramón "El Malquerido"

• • •

Dear Ramón:

That's fine. Don't worry, your question doesn't bother me. I emigrated to Australia in 1982 when I was just thirteen. I've lived here for eighteen long years. I am thirty-one years old. I'm not embarrassed to say it, since I've learned a lot about life. Like many of our fellow countrymen, I left the country because of the war. The last experience I had was pretty horrible. It was the most terrible thing that's ever happened to me. And still today, I remember all the details like it were only yesterday. It's something I prefer not to talk about. I hope you understand me.

As far as my trip to Australia, I left with only a small suitcase. On the way to the airport, I cried and cried. I went to my aunt's house. She'd settled in Australia several years before.

The trip was long. I took the first plane to Los Angeles, California, the second to Sydney, Australia, and the last to Melbourne. As all this was going on, I was extremely confused. I didn't understand anything they were saying to me. The food was really strange, the airports were huge, full of people, and if it weren't for some other *paisanos* traveling with me, I might have gotten lost too. When we finally got to Australia, after passing through the immigration screening at the airport—the one they do to make sure your papers are in order—at the exit door, I caught sight of my aunt with her arms open to welcome me and my cousins standing next to her. My new life had begun.

My first impression was surprise, seeing such a modern country. When I got in the car with my family, I stared at the highways, the streets, the buildings. Everything seemed very beautiful and clean. The truth was I liked it. I got to the place I'd call my home, an apartment with a lot of things I'd never seen. I thought my family had money. *They're rich*, I said to myself, but now that I look back, it was just the novelty of all that stuff I'd never had in my country. I was fascinated. The clothes weren't washed by hand. They had a washer and dryer. The bathroom was really pretty and had a tub. I'd never seen one. Besides, they had a car, which seemed like a real luxury to me. Everything seemed so opulent, so many comforts. They even gave me my own room, something I'd never had. To keep it short, I was thirteen years old and seeing so much extravagance, I thought it was all a dream. I thought everything was going to turn out really well.

• 3 •

Before sending her photo to Ramón, Rosa put a considerable amount of emotional and physical effort into taking that picture. She sent it once she was totally convinced it was the image that represented her the best.

All the details were arranged to make the best impression without being excessive. That's what the professional photographer, Pierre, who she'd hired for the occasion, recommended to her. At first, he thought of doing a black and white picture, but he decided this would be too dramatic and decided to take one in color so it would seem more natural.

Pierre suggested she wear a casual dress, but then he changed his mind and had her wear formal office clothes so that Ramón would understand from the very beginning that she was a professional, someone who'd gotten ahead abroad. Rosa thought that outfit would probably intimidate Ramón and awaken the machismo so typical of Latino men and maybe give him a complex by making him feel less than her. Nevertheless, Pierre was inflexible, despite her comments, arguing the complete opposite: he would understand that she wasn't a loose woman, which would make him respect her more.

Rosa showed up to the studio of the tactful expert, and he began to take her picture in different poses, from different angles, tones of light and backgrounds, but the studio set seemed superficial to him, so he took several shots in the street in the sunlight, and it was actually one of these that turned out to be the one they picked.

The next dilemma was to determine if they would send the picture digitally or on paper by regular mail. Pierre leaned toward the practical, quick way of the Internet, but Rosa was set on her point of view this time and decided to send the picture of herself the traditional way, on paper, to have a bigger effect. And, so after so many changes and complications, that photo finally found its way into the hands of the waiting Ramón. Rosa had sent him an email to let him know.

• 4 •

Dear Rosa:

The description of your trip has affected me a lot. Without a doubt, it was a real drama to leave your country and go to one completely different. But as I see it, Australia is a great nation, which I imagine is easy to adapt yourself to, and where there are great educational and work opportunities.

Kind regards, Ramón "El Malquerido"

• • •

Dear Ramón:

When I got to Australia, I was sad. I ended up in an unfamiliar place where I had to learn another language, new customs, foods, a new way of life. It wasn't easy to adapt. Everything on TV and the radio was in English. I remember I'd sit with my cousins to watch a TV show, and while they were laughing I wondered what was so funny. I was left like an idiot, watching them without understanding. The same thing happened when they spoke to me or asked me something. They did it in English. They were small and spoke practically no Spanish. Later, they complained to my aunt because I didn't understand anything at all. As far as the food, it wasn't so hard, since my aunt fixed foods similar to the ones in our country most of the time. The refrigerator was always full of so many things that I didn't know what to pick to eat. On special occasions, we'd make dishes from our country, since there weren't any restaurants we could go to that served traditional food. In the supermarket, they sold corn flour that was already prepared. You just added water, and that seemed really convenient for making our food.

The environment was the best. Incredibly peaceful, without any fear of shooting or robberies, and that made me feel at peace. In general, Australia is vast and really beautiful. Its landscapes and attractions are incredibly beautiful, and everything is clean and taken care of really well. Every time I went somewhere new, I thought it was the best thing I'd ever seen, until I found something else I liked even more. The parks have games for kids, lakes where you can go walk around and look at ducks and enjoy the peacefulness of the place. Little houses with tables and chairs are available if you want to have a picnic. There are also free electric grills to cook meat. You can enjoy a perfect weekend with your family in those parks.

Another thing that really impressed me about the country was the enormous diversity of people and cultures. In our neighborhood, each building had eight apartments that people here call "flats." We lived on the third floor, and the majority of the people who lived there were Asian (Vietnam, Thailand, Japan, China). At first, we thought they were strange, because we'd never seen them before. And that's how it was in each one of the buildings where there were people of every race. As time passed, I found out this housing was for people with little economic resources, who the government helps with the rent. The majority don't work or go to school, and so their resources are limited and they live with the assistance the government gives them. My family was one of them.

I thought it was odd not to talk with the neighbors. My aunt had never said a word to a lot of the people in the building we lived in, and that seemed really strange to me. There wasn't the communication or the sense of living together that we have in our country. You couldn't go drop in on the neighbor next door to you or on the floor above, because even though you saw them in passing, there wasn't any trust and we didn't speak the same language anyway.

This is one of the reasons why all of us Spanish-speaking people here in Australia feel isolated from everyone. This isolation causes a sense of desperation that's hard to express.

It took me a little while to learn the country's language, English. Right after arriving, as I was waiting for the other kids to get to class, I would study the verbs. I'd pay attention

on TV when people were talking. I studied English for eight
months. The majority of the students were immigrants of
different ages and from different countries. It was hard. At
recess time, we sat in the yard without talking because we
didn't know what to say, and if we said something, we said
it in our broken English, or just "Hello" and "Bye."

• 5 •

*Where should I start?* Ramón asked himself as he painstakingly
looked at the picture. First, in general, he thought it was an excellent photo, taken well and printed on good quality paper. He read
the dedication several times with a certain joy, *"For Ramón, from
Australia with love, Rosa,"* trying to discover in the charming handwriting some secret message or hidden intent that would reveal
something about her personality, but he didn't find anything out of
the ordinary.

Rosa was standing in the center of the photo, her entire body
visible. To her left were several bright green trees. *What kind of trees
could they be?* In the background, there was an imposing modern,
white building with a lot of windows and a tall tower with a triangular top. Its wide base extended to the right of the woman and
made it look like an enormous space ship that, in Ramón's imagination, seemed like it would take off any minute. *Why would Rosa
take her portrait with a building like that in the background?* Maybe that
was where the office was located—the one where she worked in
"accounting," as she had said. Maybe that massive structure was a
historic Australian monument. This was all a complete mystery to
him since he knew absolutely nothing about the country. He remembered having heard something about that far-off land, but he
didn't know how to say exactly what it could be. Rosa mentioned
the kangaroos to him, "some strange animals that carried their ba-
bies in abdominal sacks, that ran jumping on two big back legs and
fought like expert boxers."

Ramón thought Rosa looked young, attractive and healthy.
Straight, blonde hair, definitely dyed, as was the fashion, was parted
in the middle and hung on her forehead without blocking her eyes,
covering her ears, but not the attractive pearl earrings, and ending

at her neck. He suspected her hair was strong and thick, although later he thought it might be a pretty wig, crowning her tanned face, duly subjected to the subtle rigors of fine cosmetics.

Her eyes, big and expressive, half open perhaps due to the strong sun, were bordered by long dark eyelashes and crowned by plucked eyebrows, the same blonde color as her hair. Her nose descended from the midpoint between her eyebrows to the center of her face like a protuberant arrow on which the light had shaded the semicircles of her nostrils.

Her cheekbones weren't excessively big; rather, they were rounded, with a slight tinge of red. Her cheeks were a little meaty without being obese and ended in a strong jaw that came to a circular chin at the front of her face which balanced and matched with the roundness of her cheeks and the tip of her nose.

• 6 •

That relationship between those two individuals from the same country but separated by enormous geographical space had reached, after extensive correspondence, the level of a friendly, close relationship. The questions and answers flowed without any conflict from either one of them.

• • •

Dear Rosa:

It's clear it wasn't easy for you to adapt to that new culture. Learning the language is critical. What type of studies did you do in Australia? Are there places to study for a degree? Here, I was able to take a few computing classes, through pure sacrifice and without anyone's help. They've helped me to get a job in accounting in a store. I'd like to continue my studies, but I haven't had the opportunity or the economic resources. Take good care of yourself.

Sincerely, Ramón "El Malquerido"

• • •

Dear Ramón:

I started going to school here in Australia a few months after I got here. I remember I complained constantly about

200

how much time I had to spend at school. When I got home, I had to do homework, eat, sleep and the same thing the next day. The other students seemed weird to me and not so friendly, but it was because they didn't know me.

I continued my education until the twelfth grade, the last year of the *bachillerato*, what is called high school here. In time, I took a course in Housekeeping, to be a maid, in order to work in a hotel; later, I studied Retail to work in stores and also Computer Science, which helped me get an excellent job.

My aunt said the education here in Australia is much better than in our country. Everyone has the chance to go to high school for free, and the government helps to pay for books and things like that. The schools are outfitted with advanced technology. They even have their own libraries. The spaces for physical education are big, and they offer all kinds of sports.

A person can really get ahead here and be whatever he or she wants to be. What happens is that a lot of people don't want to or they have a hard time learning the language, so they can't go on with their studies or they end up unemployed. Unemployment qualifies them to get help from the government; a lot of people see that as easy money since they don't have to do anything, and they stay like that, depending on that assistance. It's a real shame because whatever they want to study, the system provides for that and helps them financially so they can achieve their goal if they want.

• 7 •

In his examination of Rosa's picture, Ramón paid special attention to her mouth, since he felt it would be the first part of her face he would kiss. He was satisfied with the discrete smile on her wide mouth opening, her thin pinkish lips and her perfectly straight white teeth.

The entire cinnamon-colored face lit up with a studied smile that seemed to say, "I'm pretty, aren't I?" to which he, motivated by a certain erotic feeling, responded with a yes: "Yes, mi amor, you're really pretty," and he promised himself that he would tell her just that in the next mail he'd send after finishing his exhaustive analysis.

The triangle of light and shade that the sun's reflection made in the space between her chin and her shirt collar made it clear that Rosa's neck was short but solid, a firm base for her smiling face crowned by a fine and impeccable head of hair that a light Australian breeze seemed to blow onto her shoulders.

Ramón concentrated his attention on the white blouse with its thick collar and the dark blue jacket with its white buttons. Her bronze hands with white nails were interlaced; they emerged out of the wide cuffs of her sleeves with golden cufflinks. Two of her fingers had matte gold rings on them. It seemed like her hands were holding up her bulging breasts, ingeniously hidden in her elegant jacket, which also covered the front and back part of her body. Ramón asked himself if Rosa's reason for wearing those clothes was, to hide the middle part of her anatomy (waist, stomach, groin and bottom) or if it was more about style and elegance. The truth was, the photo didn't reveal anything about the parts he would have liked to see and that would remain a secret that he was hoping to discover one day not too far away. The jacket even hung in front of her thighs, covered by white pants that didn't show either her feet or her shoes, since the hem went all the way to the ground. *Could Rosa have such ugly or deformed feet that she didn't want them to show? Should he dare ask her, or was it better to leave it for after the wedding?* His experience told him that women are very sensitive about certain anatomical details, and, for now, it was best not to risk asking a tactless question that could ruin everything. In general, he came to the conclusion that Rosa was pretty and that yes, for his part, he was willing to marry her.

• 8 •

Dear Rosa:

What you've told me about education in Australia is really amazing. I would love to have those opportunities. But here, it's the complete opposite. The government doesn't help people to better themselves no matter how much one might like to. Here the old saying applies . . . "God gives bread to those who aren't hungry."

I can tell you've figured out how to take advantage of the opportunities available and that you've studied very hard. I congratulate you. Stay on that path. And since Christmas is coming soon, how do you and the other *paisanos* celebrate the holidays in Australia? Let me be the first to wish you a Merry Christmas.

With kind regards as always, Ramón "El Malquerido"

• • •

Dear Ramón:

Christmas here is Australia is a very sad experience for us Latin Americans used to celebrating in a different way. To start, December 24th is just like any other day, since here Christmas is celebrated on the 25th, and the 26th is when presents are opened, according to the Australian tradition.

Actually, the celebration is up to each person, depending on if you have already adapted to this system or not. The majority of the *paisanos* here always celebrate Christmas on the 24th and we try to combine the food from here with our food. For example, oven-roasted turkey, tamales and other traditional foods, to feel closer to our native land and remember what we miss so much.

If a person doesn't have friends or family, it can be one of the saddest times, since they're what makes the celebration joyful. And it's for that reason that many of our countrymen decide to travel and spend the Christmas vacations in our country—especially the older people. Even though they have their family here in Australia, Christmas isn't the same for them.

Most of us usually get together at friends' houses and share together. In my case, we celebrate in two ways, because one part of my family is Catholic, and the other are Jehova's Witnesses. We eat lunch with one and dinner with another. The celebration at the Jehova's Witnesses' house isn't very joyful, because their religion doesn't permit it. Although to tell the truth, we are really Catholics in name only, because as time has passed, we've forgotten about going to church. Sometimes work schedules get in the way. Religion is something that isn't so important in our community here, and I think that makes us forget about it. But there are some Catholic churches where they have mass in Spanish. Many people attend for Christmas, especially the older people.

For Christmas, we play our traditional music, the *cumbias* and the *boleros* that make us dance, even though the truth is that this little bit of happiness in our lives makes us really sentimental. We remember times in the past and feelings of happiness, sadness and anxiety emerge. We miss the fireworks a lot, since exploding them is illegal here in Australia. The only thing you can burn are the sparklers, which are nice for the kids, but for the adults, it isn't any big thing.

The celebration also depends on the financial situation of each family. If new clothes are bought, it's normally for the kids, but there are always Christmas presents. This is something that has changed our traditions a little, because Christmas is about sharing with friends and family members, but here the consumerism is intense and a lot of emphasis is put on presents. The kids are used to asking for expensive things, and they always want something bigger and better.

The weather at that time of year is hot, and so people prefer to cook fresh foods like seafood and salads. Nevertheless, many people are used to the idea of a "White Christmas" and that's why they cook hot foods. For this time of year, the Australians like to decorate their houses with lights and multicolored decorations. It's a custom that brings the families together and is part of a tradition. Every night, thousands of people visit this extravagant light show. It's a real spectacle.

The first Christmas I spent in Australia was horrible. I remember I woke up sad. My thoughts were all about my country, and I remembered everything I enjoyed about Christmas. I thought: "Right now they'll listen to music and prepare the chicken . . . at this hour, I'd be taking a bath to put on my new clothes . . . now I'd be at church with my family . . . we'd be eating dinner, setting off fireworks, etc." All of these thoughts were with me the whole day. Despite my aunt trying to make it a good time, it wasn't the same. The dinner was like any other, just a little later at night. Five people seated at the table—my two cousins, my aunt, her husband and I—no one else. We ate because we had to. We listened to music for a while. Then we watched a little TV and that was it. My family members drank some beer to cheer themselves up. The truth is, seeing them happy, I felt worse, and I went out onto the balcony to cry, watching the empty streets and the peaceful night. The only place you could hear music was in another house of someone speaking Spanish. I went to sleep early . . . in my room with the door shut, sitting on my bed, looking out the window and crying until I fell asleep.

• 9 •

My beloved Rosa:

Forgive my imprudence in calling you "My beloved," but your last mail about how you spent your first Christmas in Australia moved me to the point of tears, and I wanted to console you at least with my words. Believe me, I understand you, and right now, if it weren't for the distance separating us, I'd give you a big hug and even a soft kiss of solidarity and comfort. Now I understand how painful exile can be. I'd like to be there at your side and show you all my admiration and understanding, since a person as sensitive as you doesn't deserve the bitter suffering of nostalgia.

On the other hand, if you think I've gone too far in this mail and have betrayed the trust we've developed in this whole year of communicating with one another, believe me, I don't hold you responsible. It was my mistake to be carried away by the emotion, the understanding and the affection I feel for you.

With all my regards, Ramón "El Malquerido"

He wasn't sure how she would react to that emotional message. He thought perhaps he had abused the trust that woman had shown him. He had grown used to their communication, and he had to accept that, deep down in his heart he was beginning to fall in love with her, with her frank words, her determined attitude in a life that, from what he'd seen, hadn't been so easy for her in that land on the other side of the world.

He stopped going to the cybercafé for several days, for fear of finding Rosa's furious response, or, what's worse, no message from her, which meant that their relationship had ended. One afternoon, after a long day of work at the store, he went to the café, rented a computer and connected to the Internet. He clicked the link for TierraLinda, expecting the worst. To his surprise, there was a message from her in his inbox, and brimming with emotion, he began to read.

My beloved Ramón:
    You don't know how much I appreciate your understanding words about my profound nostalgia for our country. To show you that I'm not upset, I'll take liberty of using "tú" when I talk to you, and I hope you will do the same. Your last email has shown me you are very sensitive to the feelings of those around you. In no way do I want to lose your friendship, and I hope one day to meet you in person.
    With all my love, Rosa, "La Nostálgica"

• 10 •

There, in those electronic borderlands demarcated by the territory of nostalgia on one side and of poverty on the other, Rosa and Ramón had found each other. They had met and revealed stories from their lives, their circumstances and their most intimate and treasured wishes, until finally they declared their love for one another and decided to join their lives forever. The next step agreed upon was to exchange photos. Afterward, if both of them consented, she would travel to the town she was from to get to know him in person, get married and spend their honeymoon together. As soon as he received his visa, he would travel to Australia to get legal status and they would start the family they both wanted so much.

• 11 •

To fulfill his part of the agreement, Ramón sent Rosa a black and white picture of himself from the waist up. He explained in his letter—after a passionate greeting—that his financial limitations denied him the luxury of taking a color photo. "Your beauty deserves to be photographed," he had written her. "As you can see, my face doesn't merit a photo."

Rosa wasn't discouraged by the picture she held in her nervous fingers. She took a seat in a comfortable armchair and, using a magnifying glass, she set out to analyze the image of her potential partner.

The first thing that grabbed her attention were the big black eyes, the serious, intense look emanating from them. This provoked a certain surprise for her that made her recall the dark times of her childhood, remembering things she had fought to relegate to the deepest recesses of her memory. Why did those eyes with those big shadows around them get under her skin?

She couldn't explain why she suddenly felt the need to tell Ramón certain secrets that she had hidden for a long time. She felt that now she could reveal to him in complete confidence. However, she didn't want to scare him with the drama from her past and risk losing him. He would surely understand her, just as he had shown throughout the whole year of extensive electronic communication.

• 12 •

That day, looking at his computer screen, Ramón was getting ready to send an email with passionate words he'd written the night before in his excited head. In the end, he felt very pleased by the turn his friendship with Rosa had taken. He was sure he would marry her; their union meant a ticket to a new world, to the ideal life he wanted so much based on love, understanding and progress.

It was the best thing to happen to him recently. He congratulated himself for having studied Computer Science and he gave thanks for technology, especially the Internet, which had facilitated that incredible opportunity.

Gripped by those emotions, he went into his Inbox and was surprised to find a new message from Rosa. Usually, he initiated the chain of messages with a question or often a romantic comment, made on purpose to keep their electronic relationship alive and interesting. Because of this, he assumed it would be her favorable reaction to the photograph he had sent to Australia a week and half before.

*From: Rosa <LaNostálgica@iprimus.com.au>*
*Date: Mon, 15 Jan 2001*
*To: Ramón <ElMalquerido@yahoo.com>*
*Subject: The Past*

Dear Ramón:

I remember a year ago when we met each other on the Internet and we began to talk to each other, I mentioned I'd emigrated to Australia because of the civil war. I said horrible things had happened to me which I preferred not to mention. Well, now that we've developed a good deal of trust—and love—I'd like to tell you about that memory so that you know what happened once and for all. I want to make sure there's nothing from my personal life that could cloud our relationship in the future.

I was born in the little town of Las Hamacas, as you well know. One day, the government army arrived around six in the evening and locked us in our houses. They took others out and hung them up in the street by their legs, even kids, and took everything from them—their necklaces, their money. At seven at night, they took the other inhabitants into the street and started to kill some of them. At five in the morning, they made the women form one line and the men another in the plaza, in front of Don Celso's house. They made us stand like that until seven o'clock. The kids were crying because of their hunger and the cold. We had nothing to eat or with which to cover ourselves.

At that time, I was twelve years old, and I was in the row with my four little brothers and sisters. The oldest boy was nine years old, the middle boy was five, the girl was three and the baby girl was eight months old and in my mother's arms. My mother and I were crying next to them. My father

kept silent. At seven in the morning, a helicopter landed in
front of Don Celso's house, and a group of soldiers got out.
They came toward us and pointed their rifles at us. Then
they locked the men up in the chapel, including my father.
I thought they might kill us. The chapel was in front of us.
We could see what they were doing to the men through the
window. It was ten in the morning. They had their hands
tied and blindfolded, and they stood on top of them. They'd
already killed some of them. At twelve noon, there were no
men left alive. I was crying for my father. Then they picked
out the girls to take them to the mountains. The mothers
were crying and shouting for them not to take their daughters away, but they pistol-whipped them in reply.

At five that afternoon, they took me, along with a group
of women. I was the last one in the line. As we walked, we
saw the mound of dead people they had mowed down with
their machine guns. The other women grabbed on to one
another and screamed and cried. I felt like I was going to
pass out from the pain and the fear. They'd killed my father
and separated me from my mother and my brothers. I cried
loudly, desperately. A few soldiers set the houses on fire
where the dead people were. The cries of a child could be
heard in the bonfire.

I heard a soldier say, "They've given us the order not to
leave anyone alive because they're supporters of the guerrilla." I recognized several of them because they were from
our town. One was the son of Don Teodoro, who they
killed also, along with his wife and his other kids. Without
a doubt, the boy saw when they killed his own family.

Don Teodoro's son joined the soldiers who were taking the
women into the mountains. He was in charge of me. When
we got to a grove of trees, they began to undress the women
and rape them. Then they shot them dead. I had completely
lost my strength and was just moaning. I heard the screams
of the other girls, begging them not to kill them. The soldier
pushed me, and I fell on the ground. Then he attacked me
like an animal. I only remember his face in front of my own,

his black eyes with stains like huge shadows around his eyes, his hot, panting breath. I completely lost consciousness.

When I woke up, I was surprised to be alive. There were lots of naked, bloody corpses on top of me. I found a dress in the bushes, I put it on, and that's how I escaped, crossing streams in the darkness and slashing through the under-brush with my head. I passed by houses where there were only dead people. I got close to the river and stayed in a shack there. I couldn't stop crying about losing my family. After several days, a girl found me and went to tell her mother. They recognized me and got scared. Then they hugged me. They knew I had lived in Las Hamacas. They asked me about their relatives. Stuttering, I told them they'd killed everyone. We started to cry together.

They helped me to walk. I had spent seven days with nothing to eat or drink. We got to a hiding place, and there was a woman there who'd lost her children. We spent the afternoon crying.

Since I didn't have any family left, they took me to a refugee camp. I found an uncle there, my mother's brother. At first, we didn't eat or drink. They forced me to drink orange juice be-cause I spent the whole day crying. My uncle asked the peo-ple from an international organization visiting the camp to interview me. He told them I had an aunt in Australia, with whom they got in touch and explained my situation. She de-cided to petition for me under the "Family Reunion" program sponsored by the International Migration Organization.

That's how I made it to Australia in 1982 when I was thirteen years old, an orphan with a lot of emotional prob-lems that I've been able to overcome thanks to my aunt's love and intensive help from a psychologist.

Eighteen long years have passed. I'm thirty-one years old. My wounds have healed but, every now and then, I feel the sharp sting of my memories from that terrible massacre I miraculously survived.

I hope you understand me, Ramón.

From Australia with love, Rosa "La Nostálgica"

• 13 •

Rosa's tragic message profoundly moved Ramón. It took him back to the bloody massacre twenty years before in which he had taken part. He was none other than that son of Don Teodoro Rosa had mentioned. He participated in the mass extermination of the town inhabitants and witnessed the deaths of his own family at the hands of those thugs.

For a long time, he tried to erase that terrible time from his head by emigrating to the city, adopting a different name, studying for a new profession, marrying time and time again to start a family that would help him heal and console him, but his violent instincts led to disaster and separated him from his four children.

His biggest problem was his conscience, which made him feel so guilty he was never at peace. Constant nightmares invaded his dreams. The screams of children, women and elderly people begging for mercy would wake him up, driving him crazy in the middle of the night, and wouldn't let him sleep anymore. He had become a lonely man, distrustful of everyone. And when he thought the impersonal and isolated way of communicating on the Internet had allowed him to find Rosa, his salvation and his future, now he thought that woman was actually dangerous for him. It was obvious she suspected him. Maybe she'd discovered his true identity in the photo, and if he married her, in time, she would find out he was one of the killers who exterminated her family, and she might kill him for revenge.

Those dark thoughts were probably the result of profound feelings of guilt that tormented him despite attending the Asamblea de Dios and reading his inseparable Bible on a daily basis. He had prayed to God so much and sworn submission and absolute repentance to find peace in his soul, but it had all been in vain. This made him think that the All-Powerful doesn't get involved in the actions of human beings, that each person has the option of being his angel or his demon, his benefactor or his executioner.

On the other hand, he resented having lost someone like Rosa because he was so close to his glorious union with her. The civil war had marked him for life; it was his never-ending curse. He hadn't been more than a simple pawn in that dark war, trained to receive orders and follow them to the letter without reservations. He was an excellent soldier, a "defender of the homeland," as they had demanded him to be. So, he wondered, why did his conscience torment him so much? Why did God, life and destiny refuse to forgive him? Had the people in charge of that genocide met the same fate? *Without a doubt, they hadn't*, he thought. The Peace Treaty had proclaimed a general amnesty, absolute, blind pardon to both sides of the conflict without worrying about the responsibility or the ferocity of the genocides. Why, then, did his conscience torment him so? Did the others who were responsible feel as guilty, with the same intensity or worse? The high command? The politicians? It was hard for him to know. What was certain was that for Ramón, the war had been a real hell whose fierce flames had burned into his current life, supposedly a period of pardons and peace, and become part of his daily torture.

## • 14 •

Ramón never wrote back to Rosa after he received her story. She wondered if he actually was one of the savages who had massacred her village and was incapable of facing one of his victims.

It was the second time fate had denied her a man's love. Cultural difference had caused the failure of her first attempt at marriage with a white, blonde-haired, blue-eyed Australian. In her second attempt, it was the exact opposite; the extreme cultural similarity, marked by a cruel, violent history, prevented her from marrying one of her countrymen.

But it was better like that, Rosa thought, because the paradise that Ramón's love promised, perhaps with time would have become real torture.

From her side of the ocean, she would continue to bravely navigate the huge electronic waves of the Internet. Who knows? Maybe one day she would find the ideal cybernaut that everyone, hungry for love, is looking for in that limitless dimension. She was a survivor of worse tragedies, which had given her a deep hope for love and life.

# Portable Paradise

*On the "International Day of the Immigrant,"
December 18, designated by the United Nations*

Like a tortoise
I carry my possessions on my back
everything I am and I am not
dreams, victories and defeats
loves, hatreds and sorrows
present, past and future
my beginning and my end.

In my soul I have tools
to build a paradise
wherever I have to live
whether it's hell, heaven or purgatory.

I carry masks and costumes
ancient and modern tongues
tricks and customs
illusions and disappointments
lies and truths
for all kinds of circumstances
places and peoples
to cross borders
both physical and mental
blocking my path.

I am myself and my personal odyssey,
but I am also the person here and over there
this and that
human, animal and thing.

Denigrating laws do not stop me
militarized walls
violence nor misery
racism nor ferocity
sadness nor happiness.

I am, and I am not, *aquí y allá.*

In the land I come from I am
loved and hated
the faraway brother and the one close-by
good and bad
the one who left and returns
the one who never went away nor came back
the one who saves the homeland from ruin
the one who sinks it into chaos
Cain and Abel
Alpha and Omega
ignorant and wise
hero and undesirable
the unknown exile
the respected compatriot.

One day, I showed up dead in the desert
fingered as the most hateful
of human beings
but my *nagual* just let out a laugh
a sigh and a tear
and continued onward to where I'm going and not going
where they await me for my cheap labor
and reject me for my dear dreams
carrying documents both legal and false
headed to the supposed promised land
where I experience tragedies every day
divine comedies and a thousand and one nights.

There, far away
in the cold North
in the hot South
in the indifferent West
in the distant East
there, here, everywhere
like the tortoise
I carry on my back
hope and the cross
darkness and light.

# Epilogue

THREE FUNDAMENTAL CONCEPTS are at play in this book, which combines prose and poetry: emigration, war and borders, this last term understood as both the physical border and the abstract, both the intellectual and the mythical. The border can be an obstacle that divides our personal space into a present circumstance and another ideal one, but it can also be the goal that one hopes to reach or pass in artistic creation.

In my first novel, *A Shot in the Cathedral,* certain episodes from the Salvadoran civil war demanded their own literary independence, so I converted them into short pieces which ended up as the collection, *Tree of Life: Stories of Civil War.* The works in this book were born in a similar way: episodes and experiences of the story of Latin American emigration to the United States and Australia, which were impossible to include in the novel *Odyssey to the North.*

Emigration is the common denominator of the stories and literary genres brought together in this book. Like life, love and death, emigration is one of the big human dramas and therefore a universal literary theme for all times. What changes are the places people leave from and go to: the old land we leave behind with sadness and the new one we set off toward full of hope. Passages from classic books like the Bible, the *Odyssey* and the *Popol Vuh* recount these stories. The great emigrations in pre-Columbian times in native America, the successive European emigration to the new continent, and the recent mass movement from the southern part of America to the North.

Emigration is something that tears at the human psyche; it is a point of resignation, of refusal, of departure and of surrender to unknown cultural and natural elements. It is a break with the past and the search for a future. All this represents a drama, a tragedy, a joy and sometimes also an unexpected end as in the case of those who die at sea, in the desert, in the borderlands of dreams in search of new horizons.

Emigration can be transformed into the realization of dreams, of happiness and liberty as well as represent an awakening, a sudden awareness that in the end, we are solely citizens of our heart—that mythical place that only belongs to us and that has no immigration laws. As the painter Marc Chagall, who emigrated from Russia to France once said,

Mine alone is the country
in my soul.
I enter with no passport
like going home.

I consider myself a writer born out of the civil war in the eighties in El Salvador, the land of my birth, hence the theme of my first works was the drama in that brutal conflict. One of the great consequences of that period was the massive Salvadoran exodus to the United States and the rest of the world, which inspired me to write *Odyssey to the North, Vato Guanaco Loco, A Promise to Keep* and now *Portable Paradise*—after having written *A Shot in the Cathedral* and *Tree of Life: Stories of Civil War*—since these two periods of modern Salvadoran history are intimately linked and have marked me deeply, both emotionally and physically, and therefore, in literary terms as well.

The pieces included in this collection focus on different aspects of the reality the immigrant confronts.

"The Immokalee Widow" emphasizes some of the painful implications of emigration like the fragmentation of the family and the conflicts this creates in the different representative characters in the emigrant community. In addition, it shows the hard work done by the farm workers whose lives are spent under the burning sun and the desolate environment of the vegetable farms. They are searching for dollars to feed their families, which generate huge profits for a great variety of industries (airlines, communications, agriculture, etc.) and keep the economies in their homelands afloat. Everyone benefits from the sweat and blood of the immigrant, but few people recognize it, and, in many cases, he or she is treated as a third-class person instead of being honored for their labor and sacrifice.

"The Nagual" uses Mayan mythology and a passage from the *Popol Vuh* to conceive of a story in which the contempt for one's ancestral roots is made clear while favoring a search for a supposedly "superior" culture and land. It attempts to demonstrate that it doesn't matter where we go or what type of person we become in the new world, deep in our being, we carry the indelible mark of our ancestors.

"Dragon Boy" was a very difficult story to write because it is the vivid drama of children orphaned by the civil war, combined with the subject of abuse and sexual exploitation of minors. The work of Pro-Búsqueda should be mentioned here; it is an organization that has successfully located many of the child victims of the war and reconnected them with their families, returning to them a sacred part of their past. Jon Cortina, the great Spanish Jesuit who dedicated his life to the poor of El Salvador, dedicated much of his energy to this singular effort. It is also worth mentioning the work of Casa Alianza Latinoamérica, an organization that provides shelter and attention to street kids in Central America.

"The Watchman" is a story that reflects the immigrant's ambition to have a physical piece of their homeland. This has given rise to a real industry, work and, of course, the consequent problems of crime. In this piece, other concepts emerge like class difference between those who have a lot and those who lack the minimal financial resources to survive.

"The Land of the Poet" is the story of the homeland the emigrant carries in his heart: the mythical place that in many cases only exists in his memory, disfigured by distance and the fervent desire to return one day—perhaps never—to his roots. The irony of fate and the concept of fame described by Virgil in his *Aenied* influence this literary experiment.

"Sea Odyssey" narrates the difficult crossing that Haitian boat-people make in order to reach the United States coastline and their difficulty entering this country due to politics and racial prejudice. "Sea Odyssey" presents an incredible story of survival in contrast with a legal and political situation that seems to ignore the cast-aways. It is worth mentioning that this story was originally published in French, under the title "Odyssée en mer," in the magazine *Boutures* in Port-au-Prince, Haiti in September 2000. Translation by Anne-Marie Andreasson.

"The Plan" is a story of returning to one's land of origin after long years of being away, during which the life of the main character has in economic terms completely changed. He left a defenseless orphan and he returns influential and a millionaire. Back in his country, he brings with him a plan to get his revenge, which he carries out coldly and according to his plan, with tragic results for his enemies. In this way, it is a story of corruption and of the consequences this has on the less privileged classes. In this sense, the text in some ways commits the sin of a certain romanticism, since reality shows that corruption is wired into many spheres of power, and that in very few cases is it persecuted and eradicated by the law as it should be.

"The Crossing" reflects the suffering that undocumented people are subjected to when they cross the river standing in the way of their dreams; those turbulent waters have wiped out hundreds of lives, whose pictures are captured and transmitted by the media with a sick, sensationalist fervor, as if dealing with a vulgar spectacle and not a human tragedy. For the media, these dramatic images represent the possibility of higher ratings, but for the immigrant, they are a reflection of his misfortune, his life and his death. The ever-more-difficult crossing has transformed the border into an actual wall of dreams. But, as shown in the story, no barrier, no matter how unassailable, is able to detain a human being when that person is scourged by the twin killers of misery and oppression.

"Juana's Dreams" has at its core a nostalgia for the homeland, and that visceral desire of the exile to keep a direct connection with his or her place of birth, no matter the cost. In this case, something as fragile as an avocado plant becomes the center of Juana's existence. Other themes of the story are the fragmentation of the family as a product of the cultural clash that shakes the immigrant in the new land, the loneliness that attacks the immigrant in that land of isolation and strange customs.

"Amat the Pilgrim" tells the story of the human being's flight to different courses of fate that leads him in the search of his ancestors and personal history, and which, in the end, sends him back to his place of origin, completing the circle which is just a part of existence. The key question is if the central character, even after having found the mythical promised land, will be accepted by the gods in paradise or relegated to the land of shadows. Like in "The Nagual," this story is inspired by a passage from the *Popol Vuh*, that fabulous classic that documents the singular imagination of our Mayan ancestors.

*From Australia with Love,* a novella, deals with the subject of Salvadoran emigration to Australia, a country which, unlike the emigration to the United States, my work had not considered previously. *From Australia with Love* combines concepts like the powerful pull of the immigrants' nostalgia for their homeland with the destruction of communicational borders represented by the Internet. The Internet can provide us with surprising encounters in this huge sea of electronic waves that millions of cybernauts cross on a daily basis in search of friendship, communication, love and the promised land. The details of the lived experiences of our brothers and sisters in Australia are based on information gathered from members of that community, to which—represented by the symbolic name of *Verónica*—this story is dedicated. Other background themes dealt with are the genocides of the civil war, the guilt that haunts the killers and the incurable wounds of the victims. The revelation of one of the characters is based on the testimony of Rufina Amaya, a native of El Mozote, who miraculously survived the massacre that killed her husband and children. Her words represent and eloquent and authentic historical document, irrefutable proof of the tragedy that occurred in 1981 in the village of her birth. This work is also dedicated to this brave survivor.

As it always seems, the author's intention is one thing, and the final result—the text—is another. At the least, I hope that reading these texts has brought the kind reader to the borderlands of literary ideas and not to the borderlands of nightmares.

For me, the short story has always been more difficult than the novel, but, paradoxically, it is the one that provokes in me the most enthusiasm for literary experimentation and deep aesthetic emotions. Some benevolent readers have told me that some of my intents compiled in *Tree of Life: Stories of Civil War* are worthy representatives of the genre, which motivated me to write these stories and to experiment with other themes. I simply hope that the kindhearted reader has found one of these pieces worthy of his attention.

Strangely, the title of the collection, *Portable Paradise*, belongs to a poem and not to a story. Please, dear reader, excuse my daring to include these emigrant verses in the text. Poetry has a force of synthesis, an ability to express a sense of enlightenment and revelation that at times is not possible with a short story or a long novel. It is a particular gift of poetry. And, with any luck, there is at least one verse in these poems that justifies the effort.

*Mario Bencastro*
*January 2007*

# Also by Mario Bencastro

*Árbol de la vida: Historias de la guerra civil*

*Disparo en la catedral*

*Odisea del norte*

*Odyssey to the North*

*A Promise to Keep*

*A Shot in the Cathedral*

*The Tree of Life: Stories of Civil War*

*Viaje a la tierra del abuelo*

[3]